MODERN FRENCH VERSE
An Anthology

FRENCH CLASSICS
General Editor: EUGÈNE VINAVER

MODERN FRENCH VERSE

AN ANTHOLOGY

with an Introduction

by

P. MANSELL JONES

MANCHESTER UNIVERSITY PRESS

Published by the University of Manchester
at THE UNIVERSITY PRESS
316–324 Oxford Road, Manchester 13
1954

FOREWORD

THE post-Romantic poets of France, among whom figure some of the most original and influential of modern poets, have, until quite recently, been very inadequately represented in most anthologies published in this country since the beginning of the century. The present selection from the work of Baudelaire and the Symbolists has been made with a view to providing for the interests and requirements of senior pupils as well as for those of university students ; and it is hoped that some of the numerous readers of French poetry whose judgments are unaffected by educational exigencies will give it their approval.

Its first aim is to offer a suitable choice from among the best poems produced in the seven decades from 1850 to 1920. As this was a phase of much experimentation, it seems desirable to include specimens of forms that have contributed to the foundation of a new tradition in poetic technique, even though some of the more serviceable examples in this sense are less satisfying as poems. It may be conceded to the reader that novel productions of an experimental age often demand a special degree of elucidation. He would however probably agree that commentary to be effective may have to be continuous and detailed. It deepens our darkness to receive a mere spot of light on a context which requires thorough elucidation. No " difficult " poem has been included simply as an exhibit of obscurity. Nor do we include any for which expert commentaries are not available. But to compete with, even to quote from, the experts would exceed the design of a book which aims at being useful within moderate limits of size and cost. It begins with a brief historical sketch of the literary period illustrated by the poems, to which are added some suggestions on how to approach the essential symbolist method.

Grateful acknowledgments are due to the General Editor, Professor E. Vinaver, for advice and supervision, to Miss

Phyllis Crump and M. César Sfeir for many suggestions of value and to Dr. A. H. Diverres for careful proof-reading and criticism. The Officers of the Manchester Press have been unfailingly helpful. Those responsible for this Anthology wish to thank the relevant Paris publishers for allowing the inclusion of the following selections : Librairie Gallimard for poems by Guillaume Apollinaire, Paul Claudel, Stéphane Mallarmé and Paul Valéry ; Mercure de France for poems by Francis Jammes, Maurice Maeterlinck, Jean Moréas, Henri de Régnier, Charles van Lerberghe, Emile Verhaeren and Francis Vielé-Griffin ; Editions Messein for poems by Paul Verlaine.

P. M. J.

CONTENTS

ERRATA

p. 2. *Insert after line 19 (ending . . . thirties) a whole line :*
and of the fifties is summarized in Verlaine's
injunction : Take

p. 66, l. 29. *To read as follows :*
Et j'aspire en tremblant.
　　　　　　—Pauvre âme, c'est cela !

p. 67, l. 14. *For* lui, *read* luit.

p. 81, l. 25. *For* otuvertes, *read* ouvertes.

p. 84, l. 10. *For* comprendrea, *read* comprendre.

p. 95, l. 29. *For* e'éveil, *read* l'éveil.

p. 101, l. 25. *For* remperts, *read* remparts.

THE POEMS

INTRODUCTION

I. REACTION AND DEVELOPMENT

i

A GLANCE at the chronology of literary developments in nineteenth-century France shows that for all the fervour and assurance of its protagonists, Romanticism flourished as a fairly cohesive movement for less than three decades. A new poetic school with a divergent ideal had appeared by the early sixties, its disdainful reaction concealing a continuation of much in the previous manner. The Parnassian movement, as it came to be called after the title of a serial anthology, *Le Parnasse contemporain*, first issued in 1866, stood for the primacy of form, for reversion to classical strictness in expression and versification and for revolt against facile expansiveness. Already in 1852 its leader, Leconte de Lisle, had denounced as an " autolatrie d'emprunt " that streak of sentimental fatuity or impassioned volubility which his impersonal taste found prevalent and " second hand " in the lyrical confessions of his predecessors.[1] But while they discarded effusion and the laxities that went with it, the Parnassians retained the elements of colour and local colour, outline and arabesque, and they developed the practice of imaginative evocation. Refining upon the physical, the artificial and the technical sides of romantic art, they surpassed their predecessors, with the exception of Hugo, in depicting that kind of retrospective panorama in which history and legend are subjected, or sacrificed, to the exigencies of pictorial stylization. Out of similar advances on the method of their elders, Théophile Gautier, by whom they swore, had extracted his notion of Art for Art's sake. His æsthetic was fundamental to the practice of the Parnassians and was perpetuated with

[1] Preface to the *Poèmes Antiques*, now collected with the *Derniers poèmes*.

modifications by Flaubert. But it scarcely outlived them as a working hypothesis. For it soon became evident that poetry could not flourish where the curb on self-expression amounted to a denial of the poet's sensibility, crushing spontaneity between the rigours and exactions of external form. Lyricism, having grown French wings again with the Romantics, found them so severely clipped by the Parnassians that words were once more and very swiftly losing their power of flight and becoming pedestrian. Prose, triumphing as an art with Flaubert, again threatened to become the superior medium of literary French at a risk of clogging the moulds of verse with the devices of rhetoric. With the Parnassians romantic eloquence reaches its limits. To quote Albert Thibaudet : "Ils marquent la fin du grand souffle oratoire."

Once, having descended from Parnassus to speak in public, Leconte de Lisle went so far as to declare : "Après Victor Hugo et moi je ne vois pas ce qui reste à faire avec le vers." — "De la poésie ! " cried some of his juniors in the audience. Their subsequent attitude towards the idols of the thirties eloquence and wring its neck ! If the inveterate failing of the French muse could at last be eradicated, might they not find, springing out of the soil of France, a stream of pellucid lyricism, comparable to that which kept poetry pure and renascent in England and Germany ? Some such question seems intermittently to have haunted Verlaine's generation, as it turned with increasing familiarity to the work of forerunners and contemporaries in other lands. Yet too great a share must not be allotted to influences from abroad in the formation of a movement which was prompted and sustained by indigenous impulses and reactions.

The poetry of Leconte de Lisle and of some of his associates was by no means devoid of content or of a special attitude towards universals. Pictorially and with a bitterly invidious bias the most deeply disillusioned of French poets strove to present nostalgic aspects of pre-Christian religions as offsets to the cult of the " vil Galiléen " that had ousted them from their comely pre-eminence. Even the glamour of Catholicism is submerged under flamboyant denunciations of mediæval superstition and abuse. Exotic ideas like the Buddhistic Nirvana or Maya, the Supreme Illusion, are emotionally apprehended, the emotion coming, not from any depth of religious belief but from a kind of philosophic nihilism and also no doubt from the artistic perception of the majesty of contrast between the beauty of life and its absolute denial. With these negations are curiously amalgamated traces of an attitude as remote as could be imagined from any of the ancient creeds—the scientific Positivism of Auguste Comte. Attuned to Comte's attacks on traditional beliefs, the spirit of the fifties and sixties was marked by a scientific assurance bordering on arrogance and by a triumphant materialism. *Scientisme* became the faith of critics, novelists and even of some poets. Naturally it is in the prose works of the period that this spirit is most evident and there it is blended with similar ingredients. From the early sixties Hippolyte Taine, the " educator of his age ", was using his brilliant powers of exposition to impose on its credulity a set of deterministic hypotheses rigorously applied to the systematic explanation of literature and the arts. A decade later Emile Zola could pretend to have adapted the method of Claude Bernard to a novelist's treatment of the diseases of society. It was not however the great physiologist who influenced him in practice so much as certain theories of heredity, the work of inferior minds, which provided the scaffolding for his serial study of family degeneration, *Les Rougon-Macquart*. It would not have deterred Zola to suggest that the average reader can have too much of disease. According to Naturalist theory the novel was henceforth to be, not a means of amusement, still less a work of art, but a dramatized document based on technical investigation or specialized research. It aimed at being a diagnosis of social maladies ; it succeeded in being a pre-selected dossier of social vices. The novelist was to face his subject as the scientist faces the object of his experiments. He must observe closely, describe bluntly and abjure the follies of style. Having carefully chosen the elements of his story, he must allow them to combine and react without imaginative interference in view of results to be recorded with scientific impartiality. Scrupulously practised, this method would precipitate the *roman expérimental*.

The narrowness of this doctrine, the persistent cultivation of the sordid, the brutishly realistic bias ruined Naturalism as a literary programme. Despite the brilliance of temporary adherents like Maupassant, Alphonse Daudet and Huysmans, and although its influence was not confined to the period of its promulgation, by the eighties the effort to replace the literature of romantic fiction with the documentation of " slices of life " had lost the allegiance of the best writers. It was J. K. Huysmans who led the revolt with a fantastic novel called *A Rebours*, which preceded his conversion to Catholicism. Appearing in 1884, this work contrived to present a number of obscure eccentrics, contemporary poets and novelists, of whom little was known though much was soon to be heard. Among those mentioned, along with the precursors, Baudelaire and Poe, were Verlaine, Tristan Corbière and Villiers de l'Isle-Adam. Stéphane Mallarmé received his first favourable comment. Untouched by Naturalism and recalcitrant to the Parnassian régime, these new writers gradually coalesced into groups attracted by ideals of a very different order from the materialistic and physiological preoccupations of their elders. Nothing shows more graphically how French literature has evolved than this paradoxical swing of the pendulum. Just as with Naturalism it went furthest in the direction of materialism, now it flew widest in the opposite direction, if not towards pure spirituality, at least towards idealism and the *mysticisme d'art*. The rhetoric of realism, science and sociology evanesced at this point in the dreams and aspirations of the Symbolists.

The new orientation had its most important precursor in Charles Baudelaire who, while he did not live to see the Symbolist movement develop, was for the subsequent generation a fascinating example. His poems, though they share some of the external features of Parnassian form, seemed charged with evocations, resonances and implications such as French verse had not hitherto acquired or sought. Collected and published in 1857, *Les Fleurs du Mal* secured for their author, along with much abuse, a trial in the courts which he lost. Six poems had to be withdrawn. But some of the new ones, which he wrote for the edition of 1861, won from Victor Hugo a compliment which has become a commonplace. The famous " frisson nouveau " the master probably found in the macabre element. But for Paul Valéry the thrill of novelty was the sustained *charme* or spell which was to divert and supersede what response was left to the work of the Romanticists, including that of Hugo himself.

One of Baudelaire's most attractive sonnets, *Correspondances*, has been called the keystone of his work and the source of modern Symbolism. The poem is undoubtedly important. But it has no claim to exclusive priority. Such an emphasis would ignore certain sonnets by Gérard de Nerval, one of which at least, the Pythagorian, " Homme, libre penseur . . ." is a direct precedent. Actually the roots of Symbolism ramify back into the subsoil of European Romanticism and draw from layers which are English and Teutonic as well as French—to say nothing of remoter backgrounds. Wittingly or unwittingly Baudelaire was himself indebted to such sources in writing a poem which, after having been acclaimed by his successors, has become of recent years the centre of much speculation and commentary.[1] Let us keep the sonnet in view, remembering to regard it as an example, a model perhaps, but not as unique in its type of inspiration.

CORRESPONDANCES

La Nature est un temple oú de vivants piliers
Laissent parfois sortir de confuses paroles ;

---

[1] See especially Jean Pommier : *La Mystique de Baudelaire*, Paris, 1932.

L'homme y passe à travers des forêts de symboles
Qui l'observent avec des regards familiers.

Comme de longs échos qui de loin se confondent
Dans une ténébreuse et profonde unité,
Vaste comme la nuit et comme la clarté,
Les parfums, les couleurs et les sons se répondent.

Il est des parfums frais comme des chairs d'enfant,
Doux comme les hautbois, verts comme les prairies
Et d'autres corrompus, riches et triomphants,

Ayant l'expansion des choses infinies
Comme l'ambre, le musc, le benjoin et l'encens
Qui chantent les transports de l'esprit et des sens.

Some of the examples of synæsthesia with which the
sonnet closes come, as is well known, with little transformation from Hoffmann. But synæsthesia is a case of " corres-
pondence ", and this word characterizes the mystical doctrine
of Emmanuel Swedenborg, the Swedish Illuminist who died
in 1772 and whose elaborate and unorthodox interpretations
of Scripture have stimulated the imagination of many
modern poets and artists. Actually the author of the " cele-
brated " sonnet was not directly indebted to Swedenborg for
more than the general notion conveyed by the borrowed title.
His immediate debts were to Chateaubriand, Gérard de Nerval
and Balzac (for Baudelaire a " poet ") who, along with a
number of lesser writers, served as guides in the difficult art
of expressing mystical conceptions in poetic language. It is
significant that Baudelaire had a clear grasp of the symbol.
Elsewhere he discusses the use of universal analogy as the
inexhaustible treasury of images from which every great
poet instinctively draws. His own *œuvre*, including the
critical and intimate writings, always the product of an
extraordinarily assimilative mind, became, as it developed, a
focus of converging influences rich in potential for the poets
of a later generation. The effect of his discovery of the
American poet and story-writer, Edgar Allan Poe, is more
demonstrable, despite its prolonged and multiple ramifica-

tions. Through the energetic propaganda of his French admirer, Poe, rejected in the land of his birth, became a corner-stone in the structure of a new literature in France. The main effect exerted by the American proceeded from certain æsthetical conceptions expounded in his essays on *The Poetic Principle* and *The Philosophy of Composition*, the gist of which was adapted in the fervent introductions Baudelaire wrote for his translations of the *Tales of Mystery and Imagination*. For him Poe was an Illuminist. In this as in many other ways the French poet may have been assimilating the American to his own cherished notions; but he was not mistaken in regarding his forerunner as an idealist capable of lofty flights of imaginative speculation. Through Baudelaire, Poe captures the French poetic mentality of the latter half of the nineteenth century. Mallarmé, Villiers de l'Isle-Adam, Verlaine and Valéry confess their individual admiration and numerous disciples follow suit. To him through Baudelaire they owe their sense of a pure type of lyricism, quintessential yet controlled; he supports their desire to appropriate musical effects; and although it was Mallarmé who developed a complete æsthetic, the germs of theoretic symbolism are present in some of Poe's phrases translated by Baudelaire.

ii

Poems by Verlaine and Mallarmé had appeared as early as the sixties. Both had contributed to the *Parnasse contemporain*, that *recueil de poèmes nouveaux*, published by Lemerre, which played the role of illustrative manifesto to the earlier school. The presence of their names in the edition of 1866 implies no personal link, nor was there any subsequent bond except mutual esteem. During the seventies the work of each, so different in kind, showed alarming divergences from that of the Parnassians, to whom Mallarmé's *Après-Midi d'un Faune* (1876) was unintelligible and Verlaine's *Art Poétique* (1882) an offence. In the last edition of the anthology (1876) neither Mallarmé nor Verlaine was represented.

By 1880 students, poets and painters of the younger generation were forming groups, political rather than literary, and composed of rebels, bohemians and eccentrics. Les Hydropathes, Les Zutistes, Le Chat Noir rank among the better-known clubs. In and out passed most of those who were to figure later as Symbolists. The earliest of a torrent of small reviews, symptomatic of the hazards of innovation, were beginning to appear. *Le Chat Noir* dates from 1882, *La Nouvelle Rive Gauche*, soon to become *Lutèce*, from the end of that year; the *Revue Indépendante* from 1884. Neither of the last two was in name or nature a Symbolist journal. Before long, however, both are moving towards a new formation from positions that were originally pro-naturalistic. The first review to distinguish itself as specifically Symbolist was *La Vogue*. Edited by Gustave Kahn, it set out upon its brief, obscure but pioneering career in April 1886. The *Mercure de France*, founded three years later, became Symbolist only in 1895; it was soon the dominant organ of the movement.

Returning from military service in Algeria, Kahn reached Paris in 1885 to find Mallarmé surrounded by admirers in his flat in the Rue de Rome and Verlaine reinstated in the cafés after an absence of several years. " In 1885 ", he says, " there were decadents and symbolists, many decadents and few symbolists. The word ' decadent ' had been mooted ; the word ' symbolist ' had not ; the poets spoke of ' symbols ' but not of ' symbolism '." [1] The epithet " decadent " had already been applied by journalists, at first not inappropriately. With the poetry of the Latin decadence in mind, Théophile Gautier had used the term when attempting to characterize the spirit of the *Fleurs du Mal*, and Baudelaire himself had defended the genre in his *Notes nouvelles sur Edgar Poe*. The extravagances of Huysmans's novel, *A Rebours*, gave force to the dubious epithet. Another occasion for its use was provided by the sonnet in which Verlaine declared :

Je suis l'Empire à la fin de la décadence.

---

[1] G. Kahn : *Symbolistes et Décadents*, p. 33.

8

Outside the poetic movement Zola's novels, especially *Nana*, provoked similar aspersions.

"Décadisme", it should be noticed, had no positive programme. It was a recalcitrant philosophical or political attitude, a general mood of revolt, at first negative in character, a desertion involving contemptuous denial of all the standards and authorities of the time. It was anarchy, in fact, and this term was used alternatively. But as yet the "decadence" produced no marked innovations in literary form. In technique, nearly all the younger poets, beginning to write between 1875 and 1885, were Parnassian. Some of them adopted the "liberated" versification which Verlaine was popularizing; others wrote verse which was practically regular. The earliest volumes of Moréas, Verhaeren, Henri de Régnier and Vielé-Griffin, appearing between 1883 and 1887, conform, with variations, to the traditional metric. Even exceptionally gifted poets like Rimbaud and Laforgue show at first some allegiance to the prevalent mode. Actually within the brief spell during which each of them wrote, the whole evolution of modern poetic form may be seen condensed as in a couple of concave mirrors. By 1873 Rimbaud and by 1886 Laforgue had run through the gamut of modern experimentation and had left models which have not ceased to attract imitators in France and abroad.

Among a host of poets aiming, as Laforgue said, at originality at all costs, Arthur Rimbaud is the prodigy—one of the strangest examples of precocity in literature—the adolescent, as Mr. Auden describes him,

> with red hands
> Skilful, intolerant and quick
> Who strangled an old rhetoric.

After an unhappy childhood at Charleville in the Ardennes, the savage youth set off on a series of wanderings which extended, with intervals, until his death in hospital at Marseilles in 1891. His first escapades led him to Paris, where he arrived immediately after the Commune of 1871. He was to turn up in the capital on several occasions, famished and penniless, to be driven home again by starvation or helped to return through the solicitude of friends. Of these the most fervent was Verlaine, to whom the boy-poet had sent some of his verses and who became so absorbed in their author that in 1872 he left his young wife in Paris to trail after Rimbaud to Brussels and to London. Back in Brussels a year later, they part in pseudo-tragic fashion. Exasperated by the elder man's weaknesses, Rimbaud attempts to break away, whereupon Verlaine in desperation produces a revolver and wounds him in the forearm. For this he is imprisoned at Mons on a sentence of two years, which was reduced. During and after his detention he composed most of the contrite and exquisite poems later collected in *Sagesse*. Freed in January 1875, he leads a relatively decent life until his return to Paris in 1885. It is then Verlaine begins to impress his contemporaries with the fascinations of his art and conversation and with the improprieties of his conduct.

By 1873 Rimbaud had written his last poems.[1] *Une Saison en Enfer* was printed at Brussels in that year and was carefully revised. A few copies were presented, but the edition was not distributed and the poet himself was thought to have destroyed most of the remainders. The truth seems to be that the bulk of the edition, financed by his mother but not unnaturally incomprehensible to her, was relegated to a cellar at the publisher's premises and left undisturbed for several years. Meanwhile, though probably less abruptly than has hitherto been thought, Rimbaud abandoned all prospects of a literary career in favour of a nomadic existence which led ultimately to his becoming a trader in Abyssinia.

Of Rimbaud's earlier poems only a few had yet been published. But manuscript copies of most of his work were in the hands of friends. In 1886 the editors of *La Vogue* tracked down a batch of poems in prose and verse and published them in their journal; these were the

---

[1] The question of the priority of *Une Saison en Enfer* to the *Illuminations* cannot be discussed here.

Illuminations. In the same year Verlaine brought out a new edition of *Les Poètes maudits*, brief studies of a few of his neglected contemporaries, including Mallarmé, Rimbaud and himself. By this time Rimbaud had completely disappeared from the European scene. Thirteen years had elapsed since he had shown any interest in poetry. When in the course of his Abyssinian exile he was told of the stir his work was making in Paris, his correspondent was informed of his indifference. For him the literary life was dead. " C'était mal ", he wrote.

Such was far from being the verdict of his contemporaries or the conclusion of posterity. The influence exerted by Rimbaud on Verlaine was considerable. The *Fêtes Galantes* of 1867 give little intimation of *Romances sans paroles* of 1874 and in the interval Verlaine composed his *Art Poétique*. Its tenuous argument may owe something to the æsthetic notions of E. A. Poe. But the effect of Rimbaud's example seems undeniable on the technique practised by Verlaine after 1873. The young man's arguments and experiments did not succeed in liberating his senior entirely from the versification of the past. But they must have done much to provoke or encourage the rhythmical innovations that abound in the volumes of 1874 and later years.

The most obvious of Rimbaud's experiments are novel variations in rhythm, with a preference for the *vers impair* and disruption of the accepted rhyming system. Regular rhyme he used in most of his metrical verse, but with frequent recourse to assonance and to rhymes of an uncertain character —" délicieusement faux exprès " Verlaine called them. Additional freedom was secured through relaxing that strict alternation of masculine and feminine rhymes which had been rigorously observed since the sixteenth century. All this Verlaine attempted in his own way but with far less audacity.

To set Rimbaud's work beside Verlaine's is to realize the force of irruption with which the younger man's example broke in upon the Parnassian régime. Verlaine's impulse was at best an indulgent escapism; Rimbaud's was an aggressive and agonized revolt. With the one aspiration recurrently capitulated to sentiment or sensuality; the other proposed and practised a deliberate and visionary " dérèglement de tous les sens ". The *vers libéré* jostled to breaking-point or spun fine as a gossamer thread, the prose-poem condensed to a form of inspired shorthand, the *vers libre* itself were in turn grasped and discarded by the impetuous genius who wore his gift out in a few years, scattering seeds of richest potency for European lyricism and multiplying, within a limited output, unprecedented specimens of energetic expression to be seized on and used by generations of his successors without acknowledgment.

iii

In the course of 1885 a controversy broke out in the press which advertised certain new experiments and produced some interesting definitions. Its immediate cause was the appearance of a slender volume of parodies, *Les Déliquescences d'Adoré Floupette*. Written by a couple of poets, Gabriel Vicaire and Henri Beauclair, this elegant skit was aimed at the external mannerisms of the " Decadents ", including Verlaine and Mallarmé. Reference was made to it in an article by Paul Bourde, a journalist, which appeared in *Le Temps* for the 6th August and dealt with the innovators at some length in a pseudo-ironical, though not discourteous, manner. A few days later Jean Moréas, a young poet of Athenian origin, replied in a review called *Le XIXᵉ Siècle* with a general defence of the " Decadents " who, he suggests, should be re-christened " Symbolists ". About a year later, on the 18th September 1886, the *Figaro* published an important manifesto by Moréas, in which the name " Symbolisme " is definitely proposed for the new movement. The article contains a nucleus of definitions, some of which are frequently quoted. They are not original formulations so much as deductions, made by a temporary disciple in a fantastically personal style, from the precepts of Mallarmé and the practice of Verlaine. Symbolism he characterizes as an effort to clothe the Idea in a sensuous form, which must not be regarded as an end in itself but should serve to suggest, while avoiding clear presentation. For this purpose a much richer figurative language and vocabulary are required, such as were in vogue before the Classical period—" la bonne et luxuriante et fringante langue française d'avant les Vaugelas et les Boileau-Despréaux ". For versification Moréas recommends " l'ancienne métrique avivée", which implies the emancipated prosody of Verlaine.

Henceforth the movement gains ground, though " decadent " mannerisms were not easily thrown off. A couple of reviews, *Le Décadent* and *La Décadence*, were started as late as 1886. But in that year appeared *Le Symbolisme*, edited by Moréas and Kahn, and *La Vogue* which marks a definite stage of progress and authority. The Symbolist phase proper is characterized by a more purely literary attitude.

It was Mallarmé [says Kahn] who had talked more than any-one else of the " symbol ", seeing in it an equivalent of the word " synthesis ", and conceiving the symbol as a vital and ornate synthesis free from critical commentary. What united the Symbolists, beyond an obvious love of art and a common affection for poets ignored the day before, was a number of negations of previous habits. They rejected the use of the anecdote in lyricism ; they refused to write in an easy manner appropriate to the reader's ignorance ; they abandoned the closed art of the Parnassians and the cult of Hugo carried to the point of fanaticism ; they protested against the platitude of the lesser Naturalists and attempted to save the novel from trivial gossip and documentation ; they wished to exchange the methods of detailed analysis for that of synthesis and to acknowledge foreign contributors when they had revelations to make like those of the great Russian and Scandinavian writers.[1]

To this account Kahn adds, as the distinct and tangible result of the year 1886, the inception of the *vers libre*.

[1] G. Kahn, op. cit., p. 51.

The theory of Symbolism was Mallarmé's creation ; versions by other poets and critics derived more or less directly from him. But this does not mean that all the poets writing between 1885 and the end of the century adopted his manner. Imitation of the master was doomed from the first. Mallarmé was to have only one notable disciple, Paul Valéry, who after a long " retreat " from the practice of poetry ultimately developed a manner of his own.

Valéry, who died in 1945, referred more than once to the presence of " something religious in the intellectual atmosphere of that time, . . . a kind of mysticism in the depth and purity of poetic convictions ". Mallarmé was mainly responsible for this mood of aspiration. His influence had spread, far less through the few poems published during his exile as a teacher of English in the Rhône provinces than by the modest receptions he began to give on Tuesday evenings some time after his return to Paris in 1871. The soon famous *mardis* at the Rue de Rome left memories which were treasured by all who attended. A greater compliment could not have been paid them than the fact, unfortunate enough for us, that no precise records were kept. The informal nature of the disquisition, a kind of monologue rather than an exchange of views, abstruse in thought and style yet fascinating in its subtlety, novelty and penetration ; the tactful authority and serene unworldliness of the host, dispensing his precious doctrine along with a bowlful of tobacco, induced an attitude of reverence in his hearers and inhibited anything like *reportage*. A number of articles, fragments and notes which he collected in *Divagations* provide a fairly complete view of his conceptions, and echoes of his conversations are preserved in many of the theoretic and biographical writings of the time.

The subtleties and depth of Mallarmé's æsthetic doctrine lie beyond the scope of this Introduction. But his essential idea was most simply expressed, in the interview he gave to Jules Huret, by means of a comparison with the Parnassians who, he said, take the subject as a whole and show *that* to the reader. In doing so they lose the effect of mystery and deprive other minds of the pleasure of believing that they themselves create. To name an object is to suppress three-quarters of the pleasure of guessing little by little. To suggest it is the ideal method. The perfect use of this mystery constitutes the symbol.[1]

Apart from this statement, elicited by an expert interrogator, the most accessible of Mallarmé's ideas will be found in the piece called *Crise de Vers*. Art is suggestion, not the exact transcription of the concrete. To prefer the latter is not to see the wood for the trees : " Abolie, la prétention, esthétiquement une erreur, quoiqu'elle régit les chefs-d'œuvre, d'inclure au papier subtil du volume autre chose que par exemple l'horreur de la forêt, ou le tonnerre muet épars au feuillage : non le bois intrinsèque et dense des arbres."

This opposition is maintained to the point of distinguishing between the ordinary use of language for referring " commercially " to the reality of things and its use in literature, where it suffices to make an allusion. It is the influence of music that has terminated the reign of vulgar clarity and concrete reference : " La Musique, à sa date, est venue balayer cela." [2] The date Mallarmé has in mind is that of the triumph of Wagner in France.

iv

" The nineteenth century ", wrote Irving Babbitt, " witnessed the greatest debauch of descriptive writing the world has ever known." *Ut pictura poesis* had been adopted in principle as a motto by the Romanticists and only too literally applied. A predilection for visual and pictorial effects characteristic of Hugo's imagination and emphasized by the craft of Gautier, had encouraged the Parnassians in a tendency to turn poetry into an imitation of the fine arts. Words were fixed like pigments or set like precious stones ; phrases were

[1] Jules Huret : *Enquête sur l'Evolution littéraire*, 1891, p. 60.
[2] *Divagations : Le Mystère dans les Lettres*, p. 287.

chiselled like marble or etched as if on metal plates ; and the poem might be designed to compete with a water-colour, an oil, an enamel, a mosaic or a sculptured frieze. The Parnassians ended by regarding poetry as verbal statuary. By them the last links were forged in the chain that bound it to the plastic arts.

Music itself was in danger of becoming descriptive. Yet for all the efforts of " tone poets " and " programme " composers, the last thing music can do well, the thing it aims at least, is to define. No art, on the other hand, is its superior in powers of evocation and suggestion. " It is in Music ", said E. A. Poe, and the phrase was recalled by his French admirers, " that the soul most nearly attains the great end for which, when inspired by the Poetic Sentiment, it struggles—the creation of supernal Beauty." How obvious in effect, how restricted in scope the means of poetry appear to be when compared with the resources of the orchestra ! That at least is what French poets of the eighties were beginning to feel after the glut of pictorial description and hard, ornamental verse with which they had been surfeited. Looking back to the origins of their art, they protested that its true emblem was not the palette but the lyre. Poetry should aim not at representing, as it was thought painting did ; it should, like music, attempt to suggest.

Meanwhile important developments in Opera had made so great an impression on the Parisian élite that the personality responsible for them must be ranked as one of the major forces contributing to the formation of a new poetry. This was Richard Wagner, and it was Baudelaire who had been the first critic of note to extol Wagner in France. The symbolism of the operas was soon to be acknowledged not as a vague prototype in one art of what was to be attempted in another. It was to be accepted as a model, the effects and devices of which Mallarmé and his followers aimed at emulating in their own medium. Its chief technical characteristic, the *leit-motif*, had already been defined by Baudelaire in terms borrowed from Liszt : " Les situations ou les

16

personnages de quelque importance sont tous musicalement exprimés par une mélodie qui en devient le constant symbole." Even in the detail of their craft, as Paul Valéry has remarked, the Symbolists closely followed the musicians :

One may say without exaggeration, [he told Frédéric Lefèvre] that all the important researches, all the technical innovations in poetry (and in a part of the prose) which have been seen since the period of Baudelaire, are due to the extreme attention which the great musical works, and in particular those of Wagner, stimulated in the minds of men of letters. . . . The contrast which at times struck us so painfully between the enormous powers at the disposal of the orchestra and the relative poverty of the resources of language tormented us. It was inevitable that the poets should seek to emulate, as best they could, this formidable rival, mistress of the most insidious and violent stimulants of the human soul.[1]

Before long Mallarmé will write : " La Musique rejoint le Vers pour former, depuis Wagner, la Poésie." [2]

Mallarmé was ultimately to mystify his admirers by a personal effort to write " musically ". But his abstruse experiment, *Un Coup de dés*, cannot be discussed here. It was Verlaine who with a decisive example snapped the chain that bound French poetry to plastic models. As early as 1882 a Parnassian review, *Paris-moderne*, had published a poem which disturbed his elders. It was called *Art Poétique*. Much had already been done to prepare the way by Baudelaire, by Poe through Baudelaire, by Wagner and by Rimbaud. It seemed as if Verlaine had only to murmur " De la musique avant toute chose ", for the foundations of the Parnassian æsthetic to dissolve. His *Art Poétique* was included in the volume of 1884, *Jadis et Naguère*, and became from that time the most popular formulation of the new conception.

> De la musique avant toute chose,
> Et pour cela préfère l'Impair
> Plus vague et plus soluble dans l'air,
> Sans rien en lui qui pèse ou qui pose.

---

[1] Frédéric Lefèvre : *Entretiens avec Paul Valéry*, p. 123, Paris, 1926.
[2] *Divagations : Crise de Vers*, p. 244.

Il faut aussi que tu n'ailles point
Choisir tes mots sans quelque méprise :
Rien de plus cher que la chanson grise
Où l'Indécis au Précis se joint.

C'est de beaux yeux derrière des voiles,
C'est le grand jour tremblant de midi,
C'est, par un ciel d'automne attiédi,
Le bleu fouillis des claires étoiles !

Car nous voulons la Nuance encor,
Pas la Couleur, rien que la Nuance !
Oh ! la nuance seule fiance
Le rêve au rêve et la flûte au cor !

Fuis du plus loin la Pointe assassine,
L'Esprit cruel et le Rire impur,
Qui font pleurer les yeux de l'Azur,
Et tout cet ail de basse cuisine !

Prends l'éloquence et tords-lui son cou !
Tu feras bien, en train d'énergie,
De rendre un peu la Rime assagie.
Si l'on n'y veille, elle ira jusqu'où ?

O qui dira les torts de la Rime !
Quel enfant sourd ou quel nègre fou
Nous a forgé ce bijou d'un sou
Qui sonne creux et faux sous la lime ?

De la musique encore et toujours !
Que ton vers soit la chose envolée
Qu'on sent qui fuit d'une âme en allée
Vers d'autres cieux à d'autres amours.

Que ton vers soit la bonne aventure
Éparse au vent crispé du matin
Qui va fleurant la menthe et le thym....
Et tout le reste est littérature.

It may be worth noticing at this point how the musical
quality of Verlaine's poetry struck one of the earliest of his
English admirers :

The note in Verlaine's poetry [wrote Arthur Symons] is new

in French verse; his form is new. For the first time the French
language has become capable of all the delicate songfulness of
the English language ; those stiff, impracticable lines which Victor
Hugo bent, Verlaine has broken. His voice is as lyrical as Shelley's,
as fluid, as magical—though the magic is a new one. It is a
twilight art, full of reticence, of perfumed shadows, of hushed
melodies. It suggests, it gives impressions, with a subtle avoid-
ance of any too definite or precise effect of line or colour. The
words are now *recherché*, now confidently commonplace—words
of the boudoir, words of the street ! The impressions are remote
and fleeting as a melody evoked from the piano by a frail hand
in the darkness of a scented room. . . . Or again the impressions
are as close and vivid as the circling flight of the wooden horses
at the fair of St. Giles in Brussels. . . . Or again they are as
sharp, personal and brutal as the song of prisoners turning " the
mill of destiny " . . . [1]

Arbitrary as it may seem to associate the reserved idealist,
Mallarmé, with the garrulous, perceptive, effeminate Verlaine,
we may at least regard them as the founders of two comple-
mentary modes cultivated by the late nineteenth-century
poets, Mallarmé being specifically the Symbolist, Verlaine
representing the type that Symons calls impressionistic.
Each of the corresponding kinds of poetry is based on
heightened suggestion. The one achieves its effect through
a deliberate concentration of essences drawn from many
planes of inner experience and distilled into a complex
synthesis which is the Symbol. The other attains suggesti-
bility through a contact-flash, as it were, between the poetic
nature and an impression coming from without. This
Verlaine tried to present by means of a spontaneous annota-
tion of the mood, combining a fund of naïvety with a high
degree of sophistication. He has had by far the larger
progeny, being the more tempting, if not the less dangerous,
to imitate.

D'aucuns, parmi ces jeunes gens [he wrote of this dual allegiance]
voulaient plus de profondeur, d'intellectualité dans la poésie,

---

[1] Arthur Symons : *Colour Studies in Paris : Notes on Paris and on
Paul Verlaine*, London, 1912.

et ceux-là relevaient surtout de Stéphane Mallarmé, l'esprit pur dans la forme impeccable; d'autres s'avisèrent d'admettre la naïveté, l'expansion de l'humble artiste qui vous parle.

As for Mallarmé, those who could be called his imitators (to paraphrase an article by Albert Thibaudet [1]) made themselves thoroughly ridiculous. With him we are in touch, not with one of the great currents of sensibility, intelligence or humanity, but with French poetry at its finest and most logical extremity—its most diabolical extremity, Thibaudet insists, remembering that the devil is the best logician. Mallarmé had but one subject—the literary fact itself, the existence and the life of the verse, the poem, the book. He is, from this standpoint, the Boileau of Romanticism.

The essential influence exerted by Mallarmé (continues the critic) has been that of an example. His ideal was to realize not a complete work which should be as perfect, as much alive and as beneficent as possible, but to push French poetry as far as possible in the direction of the Absolute. Mallarmé's example has produced no masterpiece like the *Légende des Siècles* or *Madame Bovary*, but it has given rise to a whole movement of exploration. The possibilities of French literature have been examined and sounded. The numerous literary schools before and after the war (so different from one another, but with the common trait of going to the extremity of something or representing some paradox or other) have not yet produced a treasure, but they have turned over the soil. Had Mallarmé not existed, Claudel, Apollinaire, Romains, Proust and Giraudoux could not have progressed with so light a conscience towards the accomplishment of their particular destinies. They would have been more inclined to compromise. The influence of Mallarmé, Thibaudet concludes, has not been exercised on the content of literature but on the manner of setting the literary problem.

Absolute individualism, complete liberty for the artist, was, according to Remy de Gourmont, a leading exponent of

[1] In the *Nouvelle Revue Française*, 1st Feb. 1922 : *Mallarmé et Rimbaud.*

Symbolism, the one true doctrine of the movement. And Mallarmé had elaborated the point in his interview with Huret : " A society without stability or unity cannot produce a stable or final form of art. The incompleteness of the social organism, while it explains the spiritual restlessness of the time, gives birth to the inexplicable demands of individualism which finds its direct reflection in the literary manifestations of the present." Over thirty years later an English critic diagnosed with greater severity the effects of this tendency. "Symbolism", said Earle Welby, " was not in fact the establishment of a new, enduring freedom for literature, but the disintegration of the old tyranny in preparation for an anarchy which still endures and the tyrannies of which, though petty and individually avoidable, are in the aggregate not less oppressive." [1]

Each Tuesday evening in the Rue de Rome Mallarmé talked to the young poets of the eighties and nineties, while Verlaine was "interviewed " at some café, hospital or disreputable tavern. There was never more of a " school " than such temporary gatherings of admirers and rebels who, catching a momentary glimpse of light after negative campaigns against the false gods of their youth, dissolved into numberless cliques, coteries and " chapelles littéraires ", each professing its own poetic truth or personal programme, each attacking, condemning or ignoring the rest. Never had there been so many new doctrines, personal precepts and private theories, " abstruses, absconces, et tout ce qu'on voudra dans ce goût-là "—or so it seemed to Verlaine. Never, as from 1880, could there have been so rich an efflorescence of little reviews. Nor, one suspects, had writers of any other period, including even those flagrant egoists of the thirties, made such efforts to advertise their individual, though not always genuine, talents and productions.

Many fair promises remained unfulfilled. Only too often, crowding the reviews with their credos, manifestos and questionnaires, contentious aspirants lost themselves in

[1] T. Earle Welby : *Arthur Symons*, p. 85, London, 1925.

super-subtle distinctions and fruitless wrangles. The quest
of the bizarre, the complex, the *inédit*, the *inouï* became, under
cover of originality, the lure of many minor talents, resulting
in their swift extinction. The leaders had aimed so high that
often their followers resembled those domestic geese de-
scribed in one of Maupassant's poems as grotesquely imitating
the flight of the wild fowl overhead by flapping their wings
and floundering in vain pursuit. Symbolism, said one com-
mentator, should have been a religion. It required too
much effort, concentration and devotion to endure as a
literary group. The exacting nature of its ideal involved
its downfall long before its stock of original ideas was
exhausted.

They are not yet exhausted. Of few, if of any, twentieth-
century novelties in the poetry of Western Europe and
America would it be safe to assert that they were completely
independent of the experimental thought and practice of
Mallarmé, Rimbaud, Laforgue, Remy de Gourmont or even
the untheoretical Verlaine. Still less has Symbolism existed
in vain as an example. Gourmont, we have seen, defined
it as the poetry of individualism and Thibaudet agreed so far
as to call it individualism pushed to its logical extreme.
Another of its exponents claimed that it was the poetry of the
life of the soul. These are vague formulæ. The Symbolist
effort, despite the limits of its achievement, has undeniably
helped to redeem French poetry from rhetoric and to endow
it with intimacy, intensity and a type of intellectual sensibility hitherto unknown. Paul Valéry found at least one
common aim in the fertile confusions of the time—an aim
shared by most subsequent poets of any distinction. Having
admitted in the course of a lecture [1] that no single æsthetic
claimed the exclusive allegiance of the poets of his time,
he insisted on their agreement to renounce the appeal to the
" reading public ". What they required was the active
collaboration of other minds—" nouveauté très remarquable
et trait essentiel de notre symbolisme ". The reader must

[1] Published in the *Figaro*, 1st July 1936.

be capable, (in Gide's word) of "connivance". This attitude reveals the Symbolist movement as an epoch of inventions—"principe même de son activité technique, qui est la libre recherche, l'aventure absolue dans l'ordre de la création artistique aux risques et périls de ceux qui s'y livrent". And Valéry referred once again to the "mystical" atmosphere in which the high aspirations of the time were conceived and in part realized.

On behalf of the younger poets of the period the broadest claims have been made. Admirers of, but more often apostates from, the pure gospel of the master, far less important as theorists, but no less individualistic, the successors of Mallarmé shared a refreshing passion for experience, for life as lived in their day, as lived by themselves—and they lived positively in a sense in which he did not.[1] None of them, with the possible exception of Laforgue, could compare in originality with the trinity of elders.[2] But it would be unreasonable to deny to Henri de Régnier, Vielé-Griffin, Paul Fort, Jammes and the Belgian, Verhaeren, a distinct poetic personality. This they each developed, not in opposition to their leaders' example—to which they acknowledged more or less serious debts of direction—but independently with variations and idiosyncrasies of their own. Without Mallarmé and Verlaine they could not have been the poets we know. It may even be doubted whether, apart from the models they had furnished or the freedom they encouraged, the genius of Laforgue, the charm of Francis Jammes or the energy of Verhaeren would have found adequate expression.

Thus from a later standpoint the term "Symbolism"

[1] Most of them favoured more direct forms of expression. "S'inspirer directement de la vie."—"Nous suggérerons d'autant plus que nous exprimerons plus exactement," are phrases from *La Plume* for 1897, which already indicate dissidence or reaction.

[2] Of the many poets for whom in this sketch we have been unable to find a place the most important is Tristan Corbière. The striking originality of this Breton contemporary of Verlaine is incompatible with that of any poet we have mentioned except, perhaps, Jules Laforgue. Corbière was a "poète maudit" but not a Symbolist.

appears to designate not a school or a movement so much as a period when the poets took over what they required from a central doctrine and example to apply it in a variety of personal ways. Very soon had appeared a Symbolist "manner", capable of degenerating into a set of mannerisms to be adopted or thrown aside at will. It is these affectations of language and style that are parodied in *Les Déliquescences d'Adoré Floupette*. In attitude or in practice such temporary adherents as Jean Moréas and Henri de Régnier are examples of fluctuating allegiance. Certain other poets of the period, among the most popular of all, such as Albert Samain, Francis Jammes and Paul Fort, scarcely conform to type. And many of those who called themselves Symbolists resorted to a mode closer to allegory than to the condensed, esoteric synthesis that constituted the ideal poem for Mallarmé. The master himself characterized the exceptional diversity of the time in the course of his talk with Huret : " Nous assistons en ce moment à un spectacle vraiment extraordinaire, unique dans toute l'histoire de la poésie : chaque poète allant, dans son coin, jouer sur une flûte bien à lui les airs qu'il lui plaît."

Yet provided we don't imply general conformity to Mallarmé's conceptions and practices, it can be affirmed that the period from 1880 to 1910 existed poetically on a number of æsthetic ideas and technical experiments which were new. " Notre art ", said Vielé-Griffin, " n'est pas un art de lignes et de sphères." In breaking with the rules of the Parnasse the essential liberty or anarchy of the period left the poets free to experiment ; and while some of their efforts were futile, some were rich in resources. Dominated by the two ideas of original symbol and revolutionary form, their experiments involved a quest for fresh material and an invention of new rhythms.[1] The latter was not Mallarmé's concern, at least not until the end. But the discovery of suitable

[1] This important development I have attempted to trace in *The Background of Modern French Poetry*, Part Two : " The Emergence of the Vers libre ".

symbolical material was a primary interest with him and his followers. Classical myth and legend were felt to be unsuitable for a type of poetry which was designed not to reveal its intention at a glance. Familiarity, learned as well as vulgar, would frustrate the effort the reader was expected to make in the creation of the new poetic experience. On the other hand the lesser-known legends of mediæval Europe and the North were appropriated not directly, but largely through their exploitation in the operas of Wagner, in the poems of Tennyson or the paintings of the Pre-Raphaelites. The field of non-classical tradition was also worked in more popular directions. A cult of early ballads and popular lilts directed the attention of some of the later poets to the national songs whose themes and prosodical devices they adapted to a number of personal uses. " Dire sans malice les airs anciens et toujours neufs dans la chanson," was Moréas's phrase for this part of the programme. Laforgue made use of them in his *Complaintes* and Moréas in his *Cantilènes*, some of which are variations on old French legends. Paul Fort's series of *Ballades françaises* and much of the work of Vielé-Griffin also illustrate this tendency. And there is adaptation of this kind in the *chansons* of Verlaine. " L'époque symboliste raffola de cette poésie populaire, dont la simplicité faisait si vivement contraste avec la technique trop perfectionnée du Parnasse." [1]

Ultimately the inevitable " revolutions of taste " brought innovators and recalcitrants back to the great tradition. The last of the Symbolists will be found experimenting with that sacred store of legend and mythology which seemed by its nature excluded from their programme. Not to mention the later work of Jean Moréas [2] and Henri de Régnier, the success of individual adaptations of classical

[1] Pierre Martino : *Parnasse et Symbolisme*, Collection Armand Colin, Paris, 1935. This excellent textbook may be recommended for a fuller and more detailed treatment.

[2] In 1891 Moréas turned his back on the movement he had sponsored and founded the École Romane on Classical and Renaissance models, as illustrated in his eight books of *Stances*.

motifs may be gauged from Verhaeren's *Pégase*, Vielé-Griffin's *Lumière de Grèce*, or, if these are already forgotten, from Valéry's personal treatment of the theme of Narcissus.

Some broader considerations require a word or two in conclusion. From the middle of the nineteenth century, as we have seen, art and literature had tended in France as elsewhere to become so closely imitative of external nature, or so much engrossed in the spectacle of contemporary society, that the dominant literary forms, especially the novel and the drama, were threatened with a defect to which academic art had already succumbed. An exact pictorialism was being so arduously cultivated by the writer as to suggest that his aim was to compete with the developing crafts of the photographer and the reporter.

The poets who rose to ascendency after the Franco-Prussian war were, for all their preciousness and cult of obscurity, the technicians of a transformation which extended its benefits beyond their immediate application in literature and drama. By insisting on the symbolic element in poetry, by making their time (and ours) symbol-conscious, they helped to promote an immensely wider and more intelligent conception of the varieties of art which has enabled us to appreciate the great non-representational arts of the past, and especially the primitive arts, never " naturalistic " in the narrow acceptation of the word.

" We cannot escape symbols," said John Lehmann in his recent book, *The Open Night*. " In the spiritual world we live by them, as a blind man finds his way with his stick that taps the pavement." It was Baudelaire, Mallarmé and their followers who among modern poets were the first to feel that craving for symbols which, as Mr. Lehmann thinks, characterizes an age like ours in its anxious search for a saving myth.

Symbolism in the literary form of parables, allegories, images, and we may add metaphors and words themselves, has been a universal means of poetic expression. One of the most frequent uses of the symbol in poetry will be familiar to most students of French literature—the form it takes in some of the poems of Alfred de Vigny. In *Moïse*, for instance, the Leader of Israel is made to stand for a notion dear to the heart of the poet, namely the curse of genius. Moses in this poem has obviously been recreated just to express what Vigny wants him to say ; and no guessing at what he means is necessary on the part of a reader of ordinary intelligence. Moreover, the figure of the Leader and what he stands for are easily separable into figure and philosophy, image and idea, symbol and thought. This use of the symbol is one of the oldest devices in literature. That in itself might be enough to explain why the French poets of the eighties wished to avoid it. Anyhow, the special method adopted and developed by them should not be confused with this common practice and must be distinguished from it clearly at the outset.

Two other reasons may be given why the Symbolists discarded this type of symbolical writing in preference for one which they thought less discursive and therefore more effective. In the first place, along with a distrust of rhetoric, went an equally definite dislike of exposition and demonstration, of preaching, teaching, persuasion and appeal. Anything that approached or resembled didactic allegory—a parable with its truth, a fable with its moral, an anecdote with its " point ", a " picture " with its " story "—this they abhorred as a sacrifice of art to instruction, a violation of the mystery of beauty undertaken to serve obvious and commonplace ends.

Of another thing in the traditional manner the new poets seem to have disapproved. It permitted an alternative development of the idea and the image, the one helping the other to take the next step : first a piece of the poet's philosophy, then some imagery to illustrate it or to prepare for the next development, and so on. This method savours too much of analysis, or of something like an analysis of his own inspiration undertaken by the poet in an effort to make himself clear to the reader. It is found in *Moïse*, but we shall illustrate it from another of Vigny's poems, *La Mort du Loup*.

This poem is arranged in three parts :

(1) A description of the Landes, through which a party including the poet are going to hunt wolves. The death of the leader of the pack.

(2) A transitional passage (a weak piece of temporizing), which tells us that the poet has dropped into a reflective attitude.

(3) The famous conclusion : the poet's stoical philosophy resumed in sixteen lines.

From the Symbolist standpoint this piece has several defects. Part (1) is an anecdote ; part (2) a transition, and part (3) is didactic. Unity of impression is forfeited to a couple of episodes and a conclusion. The result is eighty lines of verse *at very different degrees of tension or intensity*. No poem can maintain itself at white heat for long. This the Symbolists realized, or they had learnt it from E. A. Poe. But they regarded anything that destroyed *simultaneity of impression* as a vice of method. In contrast to the analytical method, what the new poets sought was a method of *synthesis* in which all aspects of the poem should be fused together and presented simultaneously in such a way that it would be impossible to detach parts without destroying not only the effect, but also the significance of the poem. In other words they aimed at a type of symbolic poem which should present itself *immediately* to the mind and must ideally be apprehended *as a whole*. By "immediately" I do not mean that its full sense should be instantly apparent as soon as one's eyes alight on the print of the poem. It may require an effort of attention followed by reflection and assimilation to grasp the essentials of a poem by Mallarmé or of one by Valéry. By "immediately" here I mean by a more or less direct, intuitive apprehension of the symbol and its significance as inseparable, whether this takes place at the beginning or at the end of the process—by seeing the whole thing "in a flash", if you like, though the flash may come *after*, not before, the effort to concentrate.

Finally it is important to notice that the new type of poem may have little or nothing to do with what we usually mean by an *idea*. The "symbol" of the Symbolists may convey a mood, an impression, an experience of one kind or another, but not necessarily a thought or a piece of philosophy. Indeed the new type of symbol was not intended to "stand for" any such thing. Symbolism, as Mallarmé asserted, is a mode of suggestion, not a type of allegory. And Paul Valéry has more than once reproached people for looking for the idea of (or the ideas *in*) a poem. Of one of his own poems he has told us that its inspiration came to him first in the form of *rhythm*, and that the ideas in it are simply part of the *media*, not of the *essence*, of the piece.

An example or two will make this clearer. Take first that once-popular poem by Sully Prudhomme, *le Vase brisé*, and note that the last two stanzas contain the point of the piece, the author having introduced his thought by means of a neat description of a vase in which a crack is slowly spreading and which he likens to his heart wounded by love. Here the two parts are clearly distinct. Most sonnets show a similar arrangement, the octet stating the theme, the sextet developing or applying it in some personal or purposive way :

> Le vase où meurt cette verveine
> D'un coup d'éventail fut fêlé ;
> Le coup dut effleurer à peine :
> Aucun bruit ne l'a révélé.
>
> Mais la légère meurtrissure, ·
> Mordant le cristal chaque jour,
> D'une marche invisible et sûre
> En a fait lentement le tour.

Son eau fraîche a fui goutte à goutte,
Le suc des fleurs s'est épuisé ;
Personne encore ne s'en doute ;
N'y touchez pas : il est brisé.

Souvent aussi la main qu'on aime,
Effleurant le cœur, le meurtrit ;
Puis le cœur se fend de lui-même,
La fleur de son amour périt ;

Toujours intact aux yeux du monde,
Il sent croître et pleurer tout bas
Sa blessure fine et profonde,
Il est brisé, n'y touchez pas.

Now look at the first stanza from Paul Valéry's poem, *Le Cimetière marin* :

Ce toit tranquille, où marchent des colombes,
Entre les pins palpite, entre les tombes ;
Midi le juste y compose de feux
La mer, la mer, toujours recommencée !
O récompense après une pensée
Qu'un long regard sur le calme des dieux !

Here the actual words, examined separately, present no difficulty. Nor perhaps at first sight do each of the sentences. But if you take the three sentences together and try to make sense of the stanza detached from its sequel, you will probably be confused and held up.

The *Cimetière marin* is included in our selection. But as anyone glancing through it will find, the other stanzas do not " explain " what it " means " in the ordinary sense of these words. An attentive reading, however, may and should give the key to what it suggests. The last line of the whole poem is :

Ce toit tranquille où picoraient des focs.

This is obviously reminiscent of the first line, with a difference which is significant. The " focs " (jib-sails) are referred to as picking up (grain) like birds. Apply this association to the first line, and the " colombes " there are perceived to be what we mean by "white wings", i.e. sailing-ships seen at a distance. The "toit" on which they walk is the sea itself, intercepted through the pines and tombs of the cemetery; and although the rest is far from "straightforward", we have here a key to unlock its mysteries. For it will now be seen that the first three sentences have the notion of the sea running through them and giving unity to the whole stanza, as indeed it does to the whole poem.

It should be noticed that in the foregoing remarks we have actually attempted some explanation of the poem in question by analysing it into (1) that which is given by the poet and which is problematical until its difficulties are solved, and (2) the hint of prosaic meaning we have just used to explain it to ourselves. But the important thing to realize is that this time it is *we* who have supplied the explanatory apparatus, not the poet, as in the case of *le Vase brisé*. All that Valéry has given us is a significant Symbol.

At this stage it might be asked: Why invent or adopt so difficult a mode of expression when one's aim as a poet is to give pleasure? Our answer will bring out two more points worth noticing.

First, remember Mallarmé's words about the poet's function being to induce the reader to guess the significance of a poem little by little. The reader *collaborates* in this type of art. His enjoyment is active, not passive as it was when all was made perfectly clear from the start and he had simply to read on and be moved to assent or lulled asleep. Here he must be unusually wide awake and have his wits and senses about him. His perceptions and intuitions, his intelligence and reason, his full sensibility, in fact, must be on the *qui-vive* to catch the gossamer threads of suggestion thrown out by the poet, as he himself catches the murmur of those mutely thunderous leaves evoked by Mallarmé as the symbol of true poetry.

But there is a still more compelling reason which leads a modern poet to adopt such a mode as Valéry's. It is the attraction of *condensation*. Just as brevity is the soul of wit, so condensation and concentration are axioms of modern poetry, if not of all great art. These words themselves suggest the further word " essence ". That especially the Symbolists aimed at—to reduce the poem to its essence, to its quintessence, to distil inspiration to the last drop. All accessories such as introductions to predispose the reader or to give him the cue, occasional directions to keep him on the right path, notes of encouragement, compliments on his progress, promises of reward for enduring to the end— these naïve devices of the older poets were to the Symbolists anathema.

With this desire for condensation went their love of *allusiveness*. Of this they have made a major principle of modern poetry. Allusion (in this sense) [1] is obviously one of the means by which a poet can keep back something he may not want to divulge at once or directly, or ever, perhaps, to disclose completely. But allusion is also the method *par excellence* of avoiding description and—worst possible vice from the Symbolist standpoint—the statement of the obvious. Definition and definiteness were the aversions of the school, and are discredited by all its exponents. " Ta pensée, garde-toi de la jamais nettement dire..." wrote Charles Morice, one of the early exponents of Symbolism, in his *Littérature de toute à l'heure*. " Ne pas finir..." was another piece of his advice. This injunction was carried to the point of discouraging labour so that the living suggestiveness of the originating impulse should not be destroyed. The excuse given for the obscurity that might ensue was that the isolation to which the Philistines have relegated the poets has led the latter to take refuge in what Morice called a " triumphant esotericism ".

By " allusion " is meant a brief, succinct or indirect reference, as opposed to direct, complete or elaborate state-

---

[1] Another form of allusion frequent in contemporary poetry, viz. reference to or reminiscence of the work of previous poets, is best exemplified among the Symbolists in Jules Laforgue.

ment. *Ellipsis* implies a reduction of normal grammatical structure, usually the result of suppressing some relational part of a sentence or phrase. Allusion gives a just sufficient hint of meaning. Ellipsis gives a just sufficient hint of grammar. In the fondness of some of the Symbolists for ellipsis we see their love of condensation as it affected *syntax*, in opposition to traditional modes of complete logical expression. If a phrase or a word (with or without punctuation) can suffice the intelligent reader, why destroy the freshness of his reaction by a logically constructed sentence? Why surfeit him with over-complete expression? Ellipsis was Mallarmé's favourite device; and we may note that Mallarmé as an artist was anti-classical in sympathy.

In creating or developing various kinds of impressionistic writing a few of the Symbolists—especially Rimbaud and to some extent Verlaine and Laforgue—achieved some of their most fruitful innovations. Their efforts were aimed in part at preserving the primitive freshness of their sensations and perceptions by setting words down in immediate response to their reactions with little or no regard for the rules; so that often their poems look like fragmentary annotations of ephemeral moods. But the moods are noted with greater subtlety, rapidity and refinement than ever before in French poetry. Often these piecemeal phrases *suggest* more in a few syllables than do the majority of " composed " poems in as many lines or stanzas. Thus the theme of Departure had been a favourite with French poets since its revival by Baudelaire. But none of their efforts conveys the abrupt desire for change, the glamour of " prospects new ", so vividly as do these phrases of Rimbaud :

Assez vu. La vision s'est rencontrée à tous les airs.
Assez eu. Rumeurs des villes, le soir, et au soleil, et toujours.
Assez connu. Les arrêts de la vie. — O Rumeurs et Visions !
Départ dans l'affection et le bruit neufs.

Ne pas finir ! The spontaneous freshness of the unfinished appears to be illustrated in Rimbaud's poem. But is the poem really unfinished? If it gives the sensation it was

33

intended to give, the nature of an original poem is such that its effect is lost when its form is changed. Imagine the above recast in logical constructions and regular verses, with tags and paddings to fill out a conventional rhythm and to " make rhyme ", and you could only have a tiresome paraphrase, full of clichés which Rimbaud would have abhorred.

Finally we should mention another device which has had increasing vogue with the descendants and successors of the Symbolists : new and audacious methods of *word association*. Instead of putting words together in the rational context or connection which the reader is accustomed to expect, the new poets are fond of giving a shock to his nerves or a fillip to his senses by abruptly presenting him with unfamiliar contacts between words, brought together from remote and incongruous spheres. The usual purpose of such eccentric juxtapositions is to render the instinctive, irrational, erratic or spontaneous nature of the original experience, to convey, as one Frenchman put it, " une sensation personnelle exprimée à l'aide d'une collision flamboyante de mots rares." Twentieth-century poets have carried this device very far. They claim by this means to have broadened and multiplied our perceptions. But there are abundant examples in Rimbaud, who begins one of his prose poems thus :

Bien après les jours et les saisons, et les êtres et les pays,
Le pavillon en viande saignante sur la soie des mers et des fleurs arctiques ; (elles n'existent pas).

(*Les Illuminations : Barbare*)

All these aspects and devices of method need not be looked for in the work of every poet of the two generations who were called Symbolists. On the contrary, most of it —while as a rule it illustrates some feature or other of this way of writing—should present no special obstacle to any-one familiar with French Romantic poetry. A few indeed of the leaders and disciples of the school are unquestionably " difficult " poets. The typical example is Stéphane Mallarmé. Yet we must not exaggerate. Some of his early

work escapes the charge of obscurity justly brought against
the rest, and the few poems of his which recur in anthologies
have become no more difficult to read than Baudelaire's.
It will be recalled that nearly all the Symbolists served an
apprenticeship in the Parnassian school. The Parnassians
loved absolute clarity of expression; frequently, as a result,
their poems have the direct and banal emphasis of public
oratory. The Symbolists abjured such effects. Their *bête
noire*, we may say, was *la clarté française*. To avoid the
obvious, the familiar, the definite and the precise, they
risked being obscure.

Mallarmé expressed his contempt for the familiar in lines
which are not so cryptic as they look:

> Notre si vieil état triomphal du grimoire,
> Hiéroglyphes dont s'exalte le millier,
> A propager de l'aile un frisson familier!
> Enfouissez-le moi plutôt dans une armoire.[1]

That the *obvious* might be excluded, he advised the avoid-
ance even of the real! The imprecise should always be
preferred because—

> Le sens trop précis rature
> Ta vague littérature.[2]

—and with the early Symbolists vagueness was a cult.
There we must leave the much discussed question of poetic
obscurity, reminding the reader that these remarks are
offered as a teacher's suggestions towards explaining the
practice of such poets as Mallarmé, Rimbaud and Paul
Valéry, and as a sequel to the brief introduction to the ideas
and theories which played so large a part in the formation
of an original and influential manner.

[1] *Hommage.*   [2] *Toute l'âme résumée.*

HINTS FOR FURTHER READING

I. For the more difficult poets :

   R. FRY : *Some Poems of Mallarmé* (Chatto & Windus, 1936 and
       1952).
   E. NOULET : *L'Œuvre poétique de Stéphane Mallarmé* (Droz, 1940)
       and *Dix Poèmes de Stéphane Mallarmé* (Droz, 1948).
   A. THIBAUDET : *La Poésie de Stéphane Mallarmé* (Gallimard, 1926).
   C. A. HACKETT : *Rimbaud l'Enfant* (Corti, 1948).
   E. STARKIE : *Arthur Rimbaud* (Hamish Hamilton, 1947).
   G. COHEN : *Essai d'Explication du Cimetière marin* (Gallimard,
       1946).

II. For useful bibliographies :

   A. M. BOASE : *The Poetry of France* (Methuen, 1952).
   C. A. HACKETT : *Anthology of Modern French Poetry* (Blackwell,
       1952).
   P. M. JONES : *The Background of Modern French Poetry* (Cambridge,
       1951).
   P. MARTINO : *Parnasse et Symbolisme* (Colin, 1925).
   G. MICHAUD : *Message poétique du Symbolisme*, 3 vols. (Nizet,
       1947.)
   VAN BEVER et LÉAUTAUD : *Poètes d'Aujourd'hui*. 3 vols.
       (Mercure de France, 1929.)

GÉRARD DE NERVAL, 1808–1855

EL DESDICHADO

Je suis le ténébreux, — le veuf, — l'inconsolé,
La prince d'Aquitaine à la tour abolie :
Ma seule *étoile* est morte, — et mon luth constellé
Porte le *soleil* noir de la *Mélancolie*.

Dans la nuit du tombeau, toi qui m'as consolé,
Rends-moi le Pausilippe et la mer d'Italie,
La *fleur* qui plaisait tant à mon cœur désolé,
Et la treille où le pampre à la rose s'allie.

Suis-je Amour ou Phébus ?... Lusignan ou Biron ?
Mon front est rouge encor du baiser de la reine ;
J'ai rêvé dans la grotte où nage la sirène...

Et j'ai deux fois vainqueur traversé l'Achéron :
Modulant tout à tour sur la lyre d'Orphée
Les soupirs de la sainte et les cris de la fée.

DELFICA

La connais-tu, Dafné, cette ancienne romance,
Au pied du sycomore, ou sous les lauriers blancs,
Sous l'olivier, le myrte, ou les saules tremblants,
Cette chanson d'amour qui toujours recommence ?...

Reconnais-tu le Temple au péristyle immense,
Et les citrons amers où s'imprimaient tes dents,
Et la grotte, fatale aux hôtes imprudents,
Où du dragon vaincu dort l'antique semence ?...

Ils reviendront, ces Dieux que tu pleures toujours !
Le temps va ramener l'ordre des anciens jours ;
La terre a tressailli d'un souffle prophétique...

D   37

Cependant la sibylle au visage latin
Est endormie encor sous l'arc de Constantin ;
— Et rien n'a dérangé le sévère portique.

VERS DORÉS

> Eh quoi ! tout est sensible !
> PYTHAGORE.

Homme, libre penseur ! te crois-tu seul pensant
Dans ce monde où la vie éclate en toute chose ?
Des forces que tu tiens ta liberté dispose,
Mais de tous tes conseils l'univers est absent.

Respecte dans la bête un esprit agissant :
Chaque fleur est une âme à la Nature éclose ;
Un mystère d'amour dans le métal repose ;
' Tout est sensible ! ' Et tout sur ton être est puissant.

Crains, dans le mur aveugle, un regard qui t'épie :
A la matière même un verbe est attaché
Ne la fais pas servir à quelque usage impie !

Souvent dans l'être obscur habite un Dieu caché ;
Et comme un œil naissant couvert par ses paupières,
Un pur esprit s'accroît sous l'écorce des pierres !

LES CYDALISES

Où sont nos amoureuses ?
Elles sont au tombeau :
Elles sont plus heureuses,
Dans un séjour plus beau !

Elles sont près des anges,
Dans le fond du ciel bleu,
Et chantent les louanges
De la mère de Dieu !

GÉRARD DE NERVAL

O blanche fiancée !
O jeune vierge en fleur !
Amante délaissée,
Que flétrit la douleur !

L'éternité profonde
Souriait dans vos yeux...
Flambeaux éteints du monde,
Rallumez-vous aux cieux !

CHARLES BAUDELAIRE, 1821–1867

L'ALBATROS

Souvent pour s'amuser, les hommes d'équipage
Prennent des albatros, vastes oiseaux des mers,
Qui suivent, indolents compagnons de voyage,
Le navire glissant sur les gouffres amers.

A peine les ont-ils déposés sur les planches,
Que ces rois de l'azur, maladroits et honteux,
Laissent piteusement leurs grandes ailes blanches
Comme des avirons traîner à côté d'eux.

Ce voyageur ailé, comme il est gauche et veule !
Lui, naguère si beau, qu'il est comique et laid !
L'un agace son bec avec un brûle-gueule,
L'autre mime, en boitant, l'infirme qui volait !

Le Poëte est semblable au prince des nuées
Qui hante la tempête et se rit de l'archer ;
Exilé sur le sol au milieu des huées,
Ses ailes de géant l'empêchent de marcher.

CORRESPONDANCES

La Nature est un temple où de vivants piliers
Laissent parfois sortir de confuses paroles ;
L'homme y passe à travers des forêts de symboles
Qui l'observent avec des regards familiers.

Comme de longs échos qui de loin se confondent
Dans une ténébreuse et profonde unité,
Vaste comme la nuit et comme la clarté,
Les parfums, les couleurs et les sons se répondent.

Il est des parfums frais comme des chairs d'enfants,
Doux comme les hautbois, verts comme les prairies,
— Et d'autres, corrompus, riches et triomphants,

Ayant l'expansion des choses infinies,
Comme l'ambre, le musc, le benjoin et l'encens,
Qui chantent les transports de l'esprit et des sens.

LE MAUVAIS MOINE

Les cloîtres anciens sur leurs grandes murailles
Etalaient en tableaux la sainte Vérité,
Dont l'effet, réchauffant les pieuses entrailles,
Tempérait la froideur de leur austérité.

En ces temps où du Christ florissaient les semailles,
Plus d'un illustre moine, aujourd'hui peu cité,
Prenant pour atelier le champ des funérailles,
Glorifiait la Mort avec simplicité.

— Mon âme est un tombeau que, mauvais cénobite,
Depuis l'éternité je parcours et j'habite ;
Rien n'embellit les murs de ce cloître odieux.

O moine fainéant ! quand saurai-je donc faire
Du spectacle vivant de ma triste misère
La travail de mes mains et l'amour de mes yeux ?

L'ENNEMI

Ma jeunesse ne fut qu'un ténébreux orage,
Traversé çà et là par de brillants soleils ;
Le tonnerre et la pluie ont fait un tel ravage
Qu'il reste en mon jardin bien peu de fruits vermeils.

Voilà que j'ai touché l'automne des idées,
Et qu'il faut employer la pelle et les râteaux
Pour rassembler à neuf les terres inondées,
Où l'eau creuse des trous grands comme des tombeaux.

Et qui sait si les fleurs nouvelles que je rêve
Trouveront dans ce sol lavé comme une grève
Le mystique aliment qui ferait leur vigueur ?

— O douleur! ô douleur! Le Temps mange la vie,
Et l'obscur Ennemi qui nous ronge le cœur
Du sang que nous perdons croît et se fortifie!

LA VIE ANTÉRIEURE

J'ai longtemps habité sous de vastes portiques
Que les soleils marins teignaient de mille feux,
Et que leurs grands piliers, droits et majestueux,
Rendaient pareils, le soir, aux grottes basaltiques.

Les houles, en roulant les images des cieux,
Mêlaient d'une façon solennelle et mystique
Les tout-puissants accords de leur riche musique
Aux couleurs du couchant reflété par mes yeux.

C'est là que j'ai vécu dans les voluptés calmes,
Au milieu de l'azur, des vagues, des splendeurs
Et des esclaves nus, tout imprégnés d'odeurs,

Qui me rafraîchissaient le front avec des palmes,
Et dont l'unique soin était d'approfondir
Le secret douloureux qui me faisait languir.

LA CHEVELURE

O toison, moutonnant jusque sur l'encolure!
O boucles! O parfum chargé de nonchaloir!
Extase! Pour peupler ce soir l'alcôve obscure
Des souvenirs dormant dans cette chevelure,
Je la veux agiter dans l'air comme un mouchoir!

La langoureuse Asie et la brûlante Afrique,
Tout un monde lointain, absent, presque défunt,
Vit dans tes profondeurs, forêt aromatique!
Comme d'autres esprits voguent sur la musique,
Le mien, ô mon amour! nage sur ton parfum.

J'irai là-bas où l'arbre et l'homme, pleins de sève,
Se pâment longuement sous l'ardeur des climats ;
Fortes tresses, soyez la houle qui m'enlève !
Tu contiens, mer d'ébène, un éblouissant rêve
De voiles, de rameurs, de flammes et de mâts :

Un port retentissant où mon âme peut boire
À grands flots le parfum, le son et la couleur ;
Où les vaisseaux, glissant dans l'or et dans la moire,
Ouvrent leurs vastes-bras pour embrasser la gloire
D'un ciel pur où frémit l'éternelle chaleur.

Je plongerai ma tête amoureuse d'ivresse
Dans ce noir océan où l'autre est enfermé ;
Et mon esprit subtil que le roulis caresse
Saura vous retrouver, ô féconde paresse,
Infinis bercements du loisir embaumé !

Cheveux bleus, pavillon de ténèbres tendues,
Vous me rendez l'azur du ciel immense et rond ;
Sur les bords duvetés de vos mèches tordues
Je m'enivre ardemment des senteurs confondues
De l'huile de coco, du musc et du goudron.

Longtemps ! toujours ! ma main dans ta crinière lourde
Sèmera le rubis, la perle et le saphir,
Afin qu'à mon désir tu ne sois jamais sourde !
N'es-tu pas l'oasis où je rêve, et la gourde
Où je hume à long traits le vin du souvenir ?

Avec ses vêtements

Avec ses vêtements ondoyants et nacrés,
Même quand elle marche, on croirait qu'elle danse,
Comme ces longs serpents que les jongleurs sacrés
Au bout de leurs bâtons agitent en cadence.

Comme le sable morne et l'azur des déserts,
Insensibles tous deux à l'humaine souffrance,
Comme les longs réseaux de la houle des mers,
Elle se développe avec indifférence.

Ses yeux polis sont faits de minéraux charmants,
Et dans cette nature étrange et symbolique
Où l'ange inviolé se mêle au sphinx antique,

Où tout n'est qu'or, acier, lumière et diamants,
Resplendit à jamais, comme un astre inutile,
La froide majesté de la femme stérile.

LE BALCON

Mère des souvenirs, maîtresse des maîtresses,
O toi, tous mes plaisirs ! ô toi, tous mes devoirs !
Tu te rappelleras la beauté des caresses,
La douceur du foyer et le charme des soirs,
Mère des souvenirs, maîtresse des maîtresses !

Les soirs illuminés par l'ardeur du charbon,
Et les soirs au balcon, voilés de vapeurs roses,
Que ton sein m'était doux ! que ton cœur m'était bon !
Nous avons dit souvent d'impérissables choses
Les soirs illuminés par l'ardeur du charbon.

Que les soleils sont beaux dans les chaudes soirées !
Que l'espace est profond ! que le cœur est puissant !
En me penchant vers toi, reine des adorées,
Je croyais respirer le parfum de ton sang.
Que les soleils sont beaux dans les chaudes soirées !

La nuit s'épaississait ainsi qu'une cloison,
Et mes yeux dans le noir devinaient tes prunelles,
Et je buvais ton souffle, ô douceur ! ô poison !
Et tes pieds s'endormaient dans mes mains fraternelles.
La nuit s'épaississait ainsi qu'une cloison.

Je sais l'art d'évoquer les minutes heureuses,
Et revis mon passé blotti dans tes genoux.
Car à quoi bon chercher tes beautés langoureuses
Ailleurs qu'en ton cher corps et qu'en ton cœur si doux ?
Je sais l'art d'évoquer les minutes heureuses !

Ces serments, ces parfums, ces baisers infinis,
Renaîtront-ils d'un gouffre interdit à nos sondes,
Comme montent au ciel les soleils rajeunis
Après s'être lavés au fond des mers profondes ?
— O serments ! ô parfums ! ô baisers infinis !

LE CADRE

Comme un beau cadre ajoute à la peinture,
Bien qu'elle soit d'un pinceau très vanté,
Je ne sais quoi d'étrange et d'enchanté
En l'isolant de l'immense nature,

Ainsi bijoux, meubles, métaux, dorure,
S'adaptaient juste à sa rare beauté ;
Rien n'offusquait sa parfaite clarté,
Et tout semblait lui servir de bordure.

Même on eût dit parfois qu'elle croyait
Que tout voulait l'aimer ; elle noyait
Sa nudité voluptueusement

Dans les baisers du satin et du linge,
Et, lente ou brusque, à chaque mouvement
Montrait la grâce enfantine du singe.

Je te donne ces vers

Je te donne ces vers afin que si mon nom
Aborde heureusement aux époques lointaines,
Et fait rêver un soir les cervelles humaines,
Vaisseau favorisé par un grand aquilon,

Ta mémoire, pareille aux fables incertaines,
Fatigue le lecteur ainsi qu'un tympanon,
Et par un fraternel et mystique chaînon
Reste comme pendue à mes rimes hautaines ;

Etre maudit à qui, de l'abîme profond
Jusqu'au plus haut du ciel, rien, hors moi, ne répond !
— O toi qui, comme une ombre à la trace éphémère,

Foules d'un pied léger et d'un regard serein
Les stupides mortels qui t'ont jugée amère,
Statue aux yeux de jais, grand ange au front d'airain !

L'INVITATION AU VOYAGE

Mon enfant, ma sœur,
Songe à la douceur
D'aller là-bas vivre ensemble !
Aimer à loisir,
Aimer et mourir
Au pays qui te ressemble !
Les soleils mouillés
De ces ciels brouillés
Pour mon esprit ont les charmes
Si mystérieux
De tes traîtres yeux,
Brillant à travers leurs larmes.

Là, tout n'est qu'ordre et beauté,
Luxe, calme et volupté.

Des meubles luisants,
Polis par les ans,
Décoreraient notre chambre ;
Les plus rares fleurs
Mêlant leurs odeurs
Aux vagues senteurs de l'ambre,
Les riches plafonds,
Les miroirs profonds,
La splendeur orientale,
Tout y parlerait
A l'âme en secret
Sa douce langue natale.

Là, tout n'est qu'ordre et beauté,
Luxe, calme et volupté.

Vois sur ces canaux
Dormir ces vaisseaux
Dont l'humeur est vagabonde ;
C'est pour assouvir
Ton moindre désir
Qu'ils viennent du bout du monde.
— Les soleils couchants
Revêtent les champs,
Les canaux, la ville entière,
D'hyacinthe et d'or ;
Le monde s'endort
Dans une chaude lumière.

Là, tout n'est qu'ordre et beauté,
Luxe, calme et volupté.

L'IRRÉMÉDIABLE

I

Une Idée, une Forme, un Etre
Parti de l'azur et tombé
Dans un Styx bourbeux et plombé
Où nul œil du Ciel ne pénètre ;

Un Ange, imprudent voyageur
Qu'a tenté l'amour du difforme,
Au fond d'un cauchemar énorme
Se débattant comme un nageur,

Et luttant, angoisses funèbres !
Contre un gigantesque remous
Qui va chantant comme les fous
Et pirouettant dans les ténèbres ;

Un malheureux ensorcelé
Dans ses tâtonnements futiles,
Pour fuir d'un lieu plein de reptiles,
Cherchant la lumière et la clé ;

Un damné descendant sans lampe,
Au bord d'un gouffre dont l'odeur
Trahit l'humide profondeur,
D'éternels escaliers sans rampe,

Où veillent des monstres visqueux
Dont les larges yeux de phosphore
Font une nuit plus noire encore
Et ne rendent visibles qu'eux;

Un navire pris dans le pôle,
Comme en un piège de cristal,
Cherchant par quel détroit fatal
Il est tombé dans cette geôle ;

— Emblèmes nets, tableau parfait
D'une fortune irrémédiable,
Qui donne à penser que le Diable
Fait toujours bien tout ce qu'il fait !

II

Tête-à-tête sombre et limpide,
Qu'un cœur devenu son miroir !
Puits de Vérité, clair et noir,
Où tremble une étoile livide,

Un phare ironique, infernal,
Flambeau des grâces sataniques,
Soulagement et gloire uniques,
— La conscience dans le Mal !

LE CYGNE

A Victor Hugo.

I

Andromaque, je pense à vous ! Ce petit fleuve,
Pauvre et triste miroir où jadis resplendit
L'immense majesté de vos douleurs de veuve,
Ce Simoïs menteur qui par vos pleurs grandit,

A fécondé soudain ma mémoire fertile,
Comme je traversais le nouveau Carrousel.
Le vieux Paris n'est plus (la forme d'une ville
Change plus vite, hélas ! que le cœur d'un mortel) ;

Je ne vois qu'en esprit tout ce camp de baraques,
Ces tas de chapiteaux ébauchés et de fûts,
Les herbes, les gros blocs verdis par l'eau des flaques,
Et, brillant aux carreaux, le bric-à-brac confus.

Là s'étalait jadis une ménagerie ;
Là je vis, un matin, à l'heure où sous les cieux
Froids et clairs le Travail s'éveille, où la voirie
Pousse un sombre ouragan dans l'air silencieux,

Un cygne qui s'était évadé de sa cage,
Et, de ses pieds palmés frottant le pavé sec,
Sur le sol raboteux traînait son blanc plumage.
Près d'un ruisseau sans eau la bête ouvrant le bec

Baignait nerveusement ses ailes dans la poudre,
Et disait, le cœur plein de son beau lac natal :
' Eau, quand donc pleuvras-tu ? quand tonneras-tu, foudre ? '
Je vois ce malheureux, mythe étrange et fatal,

Vers le ciel quelquefois, comme l'homme d'Ovide,
Vers le ciel ironique et cruellement bleu,
Sur son cou convulsif tendant sa tête avide,
Comme s'il adressait des reproches à Dieu !

II

Paris change ! mais rien dans ma mélancolie
N'a bougé ! palais neuf, échafaudages, blocs,
Vieux faubourgs, tout pour moi devient allégorie,
Et mes chers souvenirs sont plus lourds que des rocs.

Aussi devant ce Louvre une image m'opprime :
Je pense à mon grand cygne, avec ses gestes fous,
Comme les exilés, ridicule et sublime,
Et rongé d'un désir sans trêve ! et puis à vous,

Andromaque, des bras d'un grand époux tombée,
Vil bétail, sous la main du superbe Pyrrhus,
Auprès d'un tombeau vide en extase courbée ;
Veuve d'Hector, hélas ! et femme d'Hélénus !

Je pense à la négresse, amaigrie et phtisique,
Piétinant dans la boue, et cherchant, l'œil hagard,
Les cocotiers absents de la superbe Afrique
Derrière la muraille immense du brouillard ;

A quiconque a perdu ce qui ne se retrouve
Jamais, jamais ! à ceux qui s'abreuvent de pleurs
Et tettent la Douleur comme une bonne louve !
Aux maigres orphelins séchant comme des fleurs !

Ainsi dans la forêt où mon esprit s'exile
Un vieux Souvenir sonne à plein souffle du cor !
Je pense aux matelots oubliés dans une île,
Aux captifs, aux vaincus !... à bien d'autres encor !

LES SEPT VIEILLARDS

A Victor Hugo.

Fourmillante cité, cité pleine de rêves,
Où le spectre en plein jour raccroche le passant !
Les mystères partout coulent comme des sèves
Dans les canaux étroits du colosse puissant.

Un matin, cependant que dans la triste rue
Les maisons, dont la brume allongeait la hauteur,
Simulaient les deux quais d'une rivière accrue,
Et que, décor semblable à l'âme de l'acteur,

Un brouillard sale et jaune inondait tout l'espace,
Je suivais, roidissant mes nerfs comme un héros
Et discutant avec mon âme déjà lasse,
Le faubourg secoué par les lourds tombereaux.

CHARLES BAUDELAIRE

Tout à coup un vieillard dont les guenilles jaunes
Imitaient la couleur de ce ciel pluvieux,
Et dont l'aspect aurait fait pleuvoir les aumônes,
Sans la méchanceté qui luisait dans ses yeux,

M'apparut. On eût dit sa prunelle trempée
Dans le fiel ; son regard aiguisait les frimas,
Et sa barbe à longs poils, roide comme une épée,
Se projetait, pareille à celle de Judas.

Il n'était pas voûté, mais cassé, son échine
Faisant avec sa jambe un parfait angle droit,
Si bien que son bâton, parachevant sa mine,
Lui donnait la tournure et le pas maladroit

D'un quadrupède infirme ou d'un juif à trois pattes.
Dans la neige et la boue il allait s'empêtrant,
Comme s'il écrasait des morts sous ses savates,
Hostile à l'univers plutôt qu'indifférent.

Son pareil le suivait : barbe, œil, dos, bâton, loques,
Nul trait ne distinguait, du même enfer venu,
Ce jumeau centenaire, et ces spectres baroques
Marchaient du même pas vers un but inconnu.

A quel complot infâme étais-je donc en butte,
Ou quel méchant hasard ainsi m'humiliait ?
Car je comptai sept fois, de minute en minute,
Ce sinistre vieillard qui se multipliait !

Que celui-là qui rit de mon inquiétude,
Et qui n'est pas saisi d'un frisson fraternel,
Songe bien que malgré tant de décrépitude
Ces sept monstres hideux avaient l'air éternel !

Aurais-je, sans mourir, contemplé le huitième,
Sosie inexorable, ironique et fatal,
Dégoûtant Phénix, fils et père de lui-même ?
— Mais je tournai le dos au cortège infernal.

Exaspéré comme un ivrogne qui voit double,
Je rentrai, je fermai ma porte, épouvanté,

Malade et morfondu, l'esprit fiévreux et trouble,
Blessé par le mystère et par l'absurdité !

Vainement ma raison voulait prendre la barre ;
La tempête en jouant déroutait ses efforts,
Et mon âme dansait, dansait, vieille gabarre
Sans mâts, sur une mer monstrueuse et sans bords !

La servante au grand cœur

La servante au grand cœur dont vous étiez jalouse,
Et qui dort son sommeil sous une humble pelouse,
Nous devrions pourtant lui porter quelques fleurs.
Les morts, les pauvres morts, ont de grandes douleurs,
Et quand Octobre souffle, émondeur des vieux arbres,
Son vent mélancolique à l'entour de leurs marbres,
Certe, ils doivent trouver les vivants bien ingrats,
A dormir, comme ils font, chaudement dans leurs draps,
Tandis que, dévorés de noires songeries,
Sans compagnon de lit, sans bonnes causeries,
Vieux squelettes gelés travaillés par le ver,
Ils sentent s'égoutter les neiges de l'hiver
Et le siècle couler, sans qu'amis ni famille
Remplacent les lambeaux qui pendent à leur grille.

Lorsque la bûche siffle et chante, si le soir,
Calme, dans le fauteuil je la voyais s'asseoir,
Si, par une nuit bleue et froide de décembre,
Je la trouvais tapie en un coin de ma chambre,
Grave, et venant du fond de son lit éternel
Couver l'enfant grandi de son œil maternel,
Que pourrais-je répondre à cette âme pieuse,
Voyant tomber des pleurs de sa paupière creuse ?

LA MORT DES AMANTS

Nous aurons des lits pleins d'odeurs légères,
Des divans profonds comme des tombeaux,
Et d'étranges fleurs sur des étagères,
Écloses pour nous sous des cieux plus beaux.

Usant à l'envi leurs chaleurs dernières,
Nos deux cœurs seront deux vastes flambeaux
Qui réfléchiront leurs doubles lumières
Dans nos deux esprits, ces miroirs jumeaux.

Un soir fait de rose et de bleu mystique,
Nous échangerons un éclair unique,
Comme un long sanglot, tout chargé d'adieux;

Et plus tard un Ange, entr'ouvrant les portes,
Viendra ranimer, fidèle et joyeux,
Les miroirs ternis et les flammes mortes.

LE VOYAGE

A Maxime du Camp.

I

Pour l'enfant, amoureux de cartes et d'estampes,
L'univers est égal à son vaste appétit.
Ah! que le monde est grand à la clarté des lampes!
Aux yeux du souvenir que le monde est petit!

Un matin nous partons, le cerveau plein de flamme,
Le cœur gros de rancune et de désirs amers,
Et nous allons, suivant le rythme de la lame,
Berçant notre infini sur le fini des mers:

Les uns, joyeux de fuir une patrie infâme;
D'autres, l'horreur de leurs berceaux, et quelques-uns,
Astrologues noyés dans les yeux d'une femme,
La Circé tyrannique aux dangereux parfums.

Pour n'être pas changés en bêtes, ils s'enivrent
D'espace et de lumière et de cieux embrasés;
La glace qui les mord, les soleils qui les cuivrent,
Effacent lentement la marque des baisers.

E   53

Mais les vrais voyageurs sont ceux-là seuls qui partent
Pour partir ; cœurs légers, semblables aux ballons,
De leur fatalité jamais ils ne s'écartent,
Et, sans savoir pourquoi, disent toujours : Allons !

Ceux-là dont les désirs ont la forme des nues,
Et qui rêvent, ainsi qu'un conscrit le canon,
De vastes voluptés, changeantes, inconnues,
Et dont l'esprit humain n'a jamais su le nom!

. . . . .

VIII

O Mort, vieux capitaine, il est temps ! levons l'ancre !
Ce pays nous ennuie, ô Mort ! Appareillons !
Si le ciel et la mer sont noirs comme de l'encre,
Nos cœurs que tu connais sont remplis de rayons !

Verse-nous ton poison pour qu'il nous réconforte !
Nous voulons, tant ce feu nous brûle le cerveau,
Plonger au fond du gouffre, Enfer ou Ciel, qu'importe ?
Au fond de l'Inconnu pour trouver du *nouveau* !

RECUEILLEMENT

Sois sage, ô ma Douleur, et tiens-toi plus tranquille.
Tu réclamais le Soir ; il descend ; le voici :
Une atmosphère obscure enveloppe la ville,
Aux uns portant la paix, aux autres le souci.

Pendant que des mortels la multitude vile,
Sous le fouet du Plaisir, ce bourreau sans merci,
Va cueillir des remords dans la fête servile,
Ma Douleur, donne-moi la main ; viens par ici,

Loin d'eux. Vois se pencher les défuntes Années
Sur les balcons du ciel, en robes surannées ;
Surgir du fond des eaux le Regret souriant ;

Le Soleil moribond s'endormir sous une arche,
Et, comme un long linceul traînant à l'Orient,
Entends, ma chère, entends la douce Nuit qui marche.

CHARLES BAUDELAIRE

LE GOUFFRE

Pascal avait son gouffre, avec lui se mouvant.
— Hélas ! tout est abîme, — action, désir, rêve,
Parole ! et sur mon poil qui tout droit se relève
Mainte fois de la Peur je sens passer le vent.

En haut, en bas, partout, la profondeur, la grève,
Le silence, l'espace affreux et captivant
Sur le fond de mes nuits Dieu de son doigt savant
Dessine un cauchemar multiforme et sans trêve.

J'ai peur du sommeil comme on a peur d'un grand trou,
Tout plein de vague horreur, menant on ne sait où ;
Je ne vois qu'infini par toutes les fenêtres,

Et mon esprit, toujours du vertige hanté,
Jalouse du néant l'insensibilité.
— Ah ! ne jamais sortir des Nombres et des Etres !

L'ÉTRANGER

— Qui aimes-tu le mieux, homme énigmatique, dis ? ton père, ta mère, ta sœur ou ton frère ?

— Je n'ai ni père, ni mère, ni sœur, ni frère.

— Tes amis ?

— Vous vous servez là d'une parole dont le sens m'est resté jusqu'à ce jour inconnu.

— Ta patrie ?

— J'ignore sous quelle latitude elle est située.

— La beauté ?

— Je l'aimerais volontiers, déesse et immortelle.

— L'or ?

— Je le hais comme vous haïssez Dieu.

— Eh ! qu'aimes-tu donc, extraordinaire étranger ?

— J'aime les nuages... les nuages qui passent... là-bas... les merveilleux nuages !

STÉPHANE MALLARMÉ, 1842-1898

APPARITION

La lune s'attristait. Des séraphins en pleurs
Rêvant, l'archet aux doigts, dans le calme des fleurs
Vaporeuses, tiraient de mourantes violes
De blancs sanglots glissant sur l'azur des corolles
— C'était le jour béni de ton premier baiser.
Ma songerie aimant à me martyriser
S'enivrait savamment du parfum de tristesse
Que même sans regret et sans déboire laisse
La cueillaison d'un Rêve au cœur qui l'a cueilli.
J'errais donc, l'œil rivé sur le pavé vieilli
Quand avec du soleil aux cheveux, dans la rue
Et dans le soir, tu m'es en riant apparue
Et j'ai cru voir la fée au chapeau de clarté
Qui jadis sur mes beaux sommeils d'enfant gâté
Passait, laissant toujours de ses mains mal fermées
Neiger de blancs bouquets d'étoiles parfumées.

BRISE MARINE

La chair est triste, hélas ! et j'ai lu tous les livres.
Fuir ! là-bas fuir ! Je sens que des oiseaux sont ivres
D'être parmi l'écume inconnue et les cieux !
Rien, ni les vieux jardins reflétés par les yeux
Ne retiendra ce cœur qui dans la mer se trempe
O nuits ! ni la clarté déserte de ma lampe
Sur le vide papier que la blancheur défend
Et ni la jeune femme allaitant son enfant.
Je partirai ! Steamer balançant ta mâture,
Lève l'ancre pour une exotique nature !
Un Ennui, désolé par les cruels espoirs,
Croit encore à l'adieu suprême des mouchoirs !
Et, peut-être, les mâts, invitant les orages
Sont-ils de ceux qu'un vent penche sur les naufrages
Perdus, sans mâts, sans mâts, ni fertiles îlots...
Mais, ô mon cœur, entends le chant des matelots !

STÉPHANE MALLARMÉ

TOAST FUNÈBRE

O de notre bonheur, toi, le fatal emblème !

Salut de la démence et libation blême,
Ne crois pas qu'au magique espoir du corridor
J'offre ma coupe vide où souffre un monstre d'or !
Ton apparition ne va pas me suffire :
Car je t'ai mis, moi-même, en un lieu de porphyre.
Le rite est pour les mains d'éteindre le flambeau
Contre le fer épais des portes du tombeau :
Et l'on ignore mal, élu pour notre fête
Très-simple de chanter l'absence du poëte,
Que ce beau monument l'enferme tout entier.
Si ce n'est que la gloire ardente du métier,
Jusqu'à l'heure commune et vile de la cendre,
Par le carreau qu'allume un soir fier d'y descendre,
Retourne vers les feux du pur soleil mortel !

Magnifique, total et solitaire, tel
Tremble de s'exhaler le faux orgueil des hommes.
Cette foule hagarde ! elle annonce : Nous sommes
La triste opacité de nos spectres futurs.
Mais le blason des deuils épars sur de vains murs
J'ai méprisé l'horreur lucide d'une larme,
Quand, sourd même à mon vers sacré qui ne l'alarme
Quelqu'un de ces passants, fier, aveugle et muet,
Hôte de son linceul vague, se transmuait
En le vierge héros de l'attente posthume.
Vaste gouffre apporté dans l'amas de la brume
Par l'irascible vent des mots qu'il n'a pas dits,
Le néant à cet Homme aboli de jadis :
' Souvenirs d'horizons, qu'est-ce, ô toi, que la Terre ? '
Hurle ce songe ; et, voix dont la clarté s'altère,
L'espace a pour jouet le cri : ' Je ne sais pas ! '

Le Maître, par un œil profond, a, sur ses pas,
Apaisé de l'éden l'inquiète merveille
Dont le frisson final, dans sa voix seule, éveille

57

Pour la Rose et le Lys le mystère d'un nom.
Est-il de ce destin rien qui demeure, non ?
O vous tous, oubliez une croyance sombre.
Le splendide génie éternel n'a pas d'ombre.
Moi, de votre désir soucieux, je veux voir,
A qui s'évanouit, hier, dans le devoir
Idéal que nous font les jardins de cet astre,
Survivre pour l'honneur du tranquille désastre
Une agitation solennelle par l'air
De paroles, pourpre ivre et grand calice clair,
Que, pluie et diamant, le regard diaphane
Resté là sur ces fleurs dont nulle ne se fane,
Isole parmi l'heure et le rayon du jour !
C'est de nos vrais bosquets déjà tout le séjour,
Où le poëte pur a pour geste humble et large
De l'interdire au rêve, ennemi de sa charge :
Afin que le matin de son repos altier,
Quand la mort ancienne est comme pour Gautier
De n'ouvrir pas les yeux sacrés et de se taire,
Surgisse, de l'allée ornement tributaire,
Le sépulcre solide où gît tout ce qui nuit,
Et l'avare silence et la massive nuit.

O si chère de loin et proche et blanche

O si chère de loin et proche et blanche, si
Délicieusement toi, Mary, que je songe
A quelque baume rare émané par mensonge
Sur aucun bouquetier de cristal obscurci

Le sais-tu, oui ! pour moi voici des ans, voici
Toujours que ton sourire éblouissant prolonge
La même rose avec son bel été qui plonge
Dans autrefois et puis dans le futur aussi.

Mon cœur qui dans les nuits parfois cherche à s'entendre
Ou de quel dernier mot t'appeler le plus tendre
S'exalte en celui rien que chuchoté de sœur

N'était, très grand trésor et tête si petite,
Que tu m'enseignes bien toute une autre douceur
Tout bas par le baiser seul dans tes cheveux dite.

Victorieusement fui le suicide beau

Victorieusement fui le suicide beau
Tison de gloire, sang par écume, or, tempête !
O rire si là-bas une pourpre s'apprête
A ne tendre royal que mon absent tombeau.

Quoi ! de tout cet éclat pas même le lambeau
S'attarde, il est minuit, à l'ombre qui nous fête
Excepté qu'un trésor présomptueux de tête
Verse son caressé nonchaloir sans flambeau,

La tienne si toujours le délice ! la tienne
Oui seule qui du ciel évanoui retienne
Un peu de puéril triomphe en t'en coiffant

Avec clarté quand sur les coussins tu la poses
Comme un casque guerrier d'impératrice enfant
Dont pour te figurer il tomberait des roses.

Le vierge, le vivace et le bel aujourd'hui

Le vierge, le vivace et le bel aujourd'hui
Va-t-il nous déchirer avec un coup d'aile ivre
Ce lac dur oublié que hante sous le givre
Le transparent glacier des vols qui n'ont pas fui !

Un cygne d'autrefois se souvient que c'est lui
Magnifique mais qui sans espoir se délivre
Pour n'avoir pas chanté la région où vivre
Quand du stérile hiver a resplendi l'ennui.

Tout son col secouera cette blanche agonie
Par l'espace infligée à l'oiseau qui le nie,
Mais non l'horreur du sol où le plumage est pris.

Fantôme qu'à ce lieu son pur éclat assigne,
Il s'immobilise au songe froid de mépris
Que vêt parmi l'exil inutile le Cygne.

LE TOMBEAU D'EDGAR POE

Tel qu'en Lui-même enfin l'éternité le change,
Le Poète suscite avec un glaive nu
Son siècle épouvanté de n'avoir pas connu
Que la mort triomphait dans cette voix étrange !

Eux, comme un vil sursaut d'hydre oyant jadis l'ange
Donner un sens plus pur aux mots de la tribu
Proclamèrent très haut le sortilège bu
Dans le flot sans honneur de quelque noir mélange.

Du sol et de la nue hostiles, ô grief !
Si notre idée avec ne sculpte un bas-relief
Dont la tombe de Poe éblouissante s'orne

Calme bloc ici-bas chu d'un désastre obscur
Que ce granit du moins montre à jamais sa borne
Aux noirs vols du Blasphème épars dans le futur.

Toute l'âme résumée

Toute l'âme résumée
Quand lente nous l'expirons
Dans plusieurs ronds de fumée
Abolis en autres ronds

Atteste quelque cigare
Brûlant savamment pour peu
Que la cendre se sépare
De son clair baiser de feu

Ainsi le chœur des romances
A la lèvre vole-t-il
Exclus-en si tu commences
Le réel parce que vil

Le sens trop précis rature
Ta vague littérature.

PAUL VERLAINE, 1844-1896

MON RÊVE FAMILIER

Je fais souvent ce rêve étrange et pénétrant
D'une femme inconnue, et que j'aime, et qui m'aime,
Et qui n'est, chaque fois, ni tout à fait la même
Ni tout à fait une autre, et m'aime et me comprend.

Car elle me comprend, et mon cœur, transparent
Pour elle seule, hélas ! cesse d'être un problème
Pour elle seule, et les moiteurs de mon front blême
Elle seule les sait rafraîchir, en pleurant.

Est-elle brune, blonde ou rousse ? — Je l'ignore.
Son nom ? Je me souviens qu'il est doux et sonore,
Comme ceux des aimés que la Vie exila.

Son regard est pareil au regard des statues,
Et pour sa voix, lointaine, et calme, et grave, elle a
L'inflexion des voix chères qui se sont tues.

APRÈS TROIS ANS

Ayant poussé la porte étroite qui chancelle,
Je me suis promené dans le petit jardin
Qu'éclairait doucement le soleil du matin,
Pailletant chaque fleur d'une humide étincelle.

Rien n'a changé. J'ai tout revu : l'humble tonnelle
De vigne folle avec les chaises de rotin...
Le jet d'eau fait toujours son murmure argentin
Et le vieux tremble sa plainte sempiternelle.

Les roses comme avant palpitent ; comme avant,
Les grands lys orgueilleux se balancent au vent.
Chaque alouette qui va et vient m'est connue.

Même j'ai retrouvé debout la Velléda,
Dont le plâtre s'écaille au bout de l'avenue,
— Grêle, parmi l'odeur fade du réséda.

CHANSON D'AUTOMNE

Les sanglots longs
Des violons
  De l'automne
Blessent mon cœur
D'une langueur
  Monotone.

Tout suffoquant
Et blême, quand
  Sonne l'heure,
Je me souviens
Des jours anciens
  Et je pleure.

Et je m'en vais
Au vent mauvais
  Qui m'emporte
Deçà, delà,
Pareil à la
  Feuille morte.

CLAIR DE LUNE

Votre âme est un paysage choisi
Que vont charmant masques et bergamasques,
Jouant du luth, et dansant, et quasi
Tristes sous leurs déguisements fantasques.

Tout en chantant sur le mode mineur
L'amour vainqueur et la vie opportune,
Ils n'ont pas l'air de croire à leur bonheur,
Et leur chanson se mêle au clair de lune,

Au calme clair de lune triste et beau
Qui fait rêver les oiseaux dans les arbres
Et sangloter d'extase les jets d'eau,
Les grands jets d'eau sveltes parmi les marbres.

COLLOQUE SENTIMENTAL

Dans le vieux parc solitaire et glacé
Deux formes ont tout à l'heure passé.

Leurs yeux sont morts et leurs lèvres sont molles,
Et l'on entend à peine leurs paroles.

Dans le vieux parc solitaire et glacé
Deux spectres ont évoqué le passé.

— Te souvient-il de notre extase ancienne ?
— Pourquoi voulez-vous donc qu'il m'en souvienne ?

— Ton cœur bat-il toujours à mon seul nom ?
Toujours vois-tu mon âme en rêve ? — Non.

— Ah ! les beaux jours de bonheur indicible
Où nous joignions nos bouches ! — C'est possible.

— Qu'il était bleu, le ciel, et grand, l'espoir !
— L'espoir a fui, vaincu, vers le ciel noir.

Tels ils marchaient dans les avoines folles,
Et la nuit seule entendit leurs paroles.

Le foyer, la lueur étroite de la lampe

Le foyer, la lueur étroite de la lampe ;
La rêverie avec le doigt contre la tempe
Et les yeux se perdant parmi les yeux aimés ;
L'heure du thé fumant et des livres fermés ;
La douceur de sentir la fin de la soirée ;
La fatigue charmante et l'attente adorée

De l'ombre nuptiale et de la douce nuit,
Oh ! tout cela, mon rêve attendri le poursuit
Sans relâche, à travers toutes remises vaines,
Impatient des mois, furieux des semaines !

Donc, ce sera par un clair jour d'été

Donc, ce sera par un clair jour d'été :
Le grand soleil, complice de ma joie,
Fera, parmi le satin et la soie,
Plus belle encor votre chère beauté ;

Le ciel tout bleu, comme une haute tente,
Frissonnera somptueux à longs plis
Sur nos deux fronts heureux qu'auront pâlis
L'émotion du bonheur et l'attente ;

Et quand le soir viendra, l'air sera doux
Qui se jouera, caressant, dans vos voiles,
Et les regards paisibles des étoiles
Bienveillamment souriront aux époux.

Le piano que baise une main frêle

Le piano que baise une main frêle
Luit dans le soir rose et gris vaguement,
Tandis qu'avec un très léger bruit d'aile,
Un air bien vieux, bien faible et bien charmant
Rôde discret, épeuré quasiment,
Par le boudoir longtemps parfumé d'Elle.

Qu'est-ce que c'est que ce berceau soudain
Qui lentement dorlote mon pauvre être ?
Que voudrais-tu de moi, doux chant badin ?
Qu'as-tu voulu, fin refrain incertain
Qui vas tantôt mourir vers la fenêtre
Ouverte un peu sur le petit jardin ?

Les faux beaux jours

Les faux beaux jours ont lui tout le jour, ma pauvre âme
Et les voici vibrer aux cuivres du couchant.
Ferme les yeux, pauvre âme, et rentre sur-le-champ ;
Une tentation des pires. Fuis l'infâme.

Ils ont lui tout le jour en longs grêlons de flamme,
Battant toute vendange aux collines, couchant
Toute moisson de la vallée, et ravageant
Le ciel tout bleu, le ciel chanteur qui te réclame.

O pâlis, et va-t'en, lente et joignant les mains.
Si ces hiers allaient manger nos beaux demains ?
Si la vieille folie était encore en route ?

Ces souvenirs, va-t-il falloir les retuer ?
Un assaut furieux, le suprême sans doute !
O, va prier contre l'orage, va prier.

— Ah, Seigneur, qu'ai-je ?

— Ah, Seigneur, qu'ai-je ? Hélas, me voici tout en larmes
D'une joie extraordinaire : votre voix
Me fait comme du bien et du mal à la fois,
Et le mal et le bien, tout a les mêmes charmes.

Je ris, je pleure, et c'est comme un appel aux armes
D'un clairon pour des champs de bataille où je vois
Des anges bleus et blancs portés sur des pavois,
Et ce clairon m'enlève en de fières alarmes.

J'ai l'extase et j'ai la terreur d'être choisi.
Je suis indigne, mais je sais votre clémence,
Ah, quel effort, mais quelle ardeur ! Et me voici

Plein d'une humble prière, encor qu'un trouble immense
Brouille l'espoir que votre voix me révéla,
Et j'aspire en tremblant. Pauvre âme, c'est cela !

PAUL VERLAINE

L'espoir luit

L'espoir luit comme un brin de paille dans l'étable.
Que crains-tu de la guêpe ivre de son vol fou ?
Vois, le soleil toujours poudroie à quelque trou.
Que ne t'endormais-tu, le coude sur la table ?

Pauvre âme pâle, au moins cette eau du puits glacé,
Bois-la. Puis dors après. Allons, tu vois, je reste,
Et je dorloterai les rêves de ta sieste,
Et tu chantonneras comme un enfant bercé.

Midi sonne. De grâce, éloignez-vous, madame.
Il dort. C'est étonnant comme les pas de femme
Résonnent au cerveau des pauvres malheureux.

Midi sonne. J'ai fait arroser dans la chambre.
Va, dors ! L'espoir lui comme un caillou dans un creux.
Ah ! quand refleuriront les roses de septembre !

Un grand sommeil noir

Un grand sommeil noir
Tombe sur ma vie :
Dormez, tout espoir,
Dormez, toute envie !

Je ne vois plus rien.
Je perds la mémoire
Du mal et du bien....
O la triste histoire !

Je suis un berceau
Qu'une main balance
Au creux d'un caveau :
Silence, silence !

67

Le ciel est, par-dessus le toit

Le ciel est, par-dessus le toit,
    Si bleu, si calme !
Un arbre, par-dessus le toit,
    Berce sa palme.

La cloche, dans le ciel qu'on voit,
    Doucement tinte.
Un oiseau sur l'arbre qu'on voit
    Chante sa plainte.

Mon Dieu, mon Dieu, la vie est là,
    Simple et tranquille.
Cette paisible rumeur-là
    Vient de la ville.

— Qu'as-tu fait, ô toi que voilà
    Pleurant sans cesse,
Dis, qu'as-tu fait, toi que voilà,
    De ta jeunesse ?

L'échelonnement des haies

L'échelonnement des haies
Moutonne à l'infini, mer
Claire dans le brouillard clair
Qui sent bon les jeunes baies.

Des arbres et des moulins
Sont légers sur le vert tendre
Où vient s'ébattre et s'étendre
L'agilité des poulains.

Dans ce vague d'un Dimanche
Voici se jouer aussi
De grandes brebis aussi
Douce que leur laine blanche.

PAUL VERLAINE

Tout à l'heure déferlait
L'onde, roulée en volutes,
De cloches comme des flûtes
Dans le ciel comme du lait.

TRISTAN CORBIÈRE, 1845–1875

LE CRAPAUD

Un chant dans une nuit sans air...
— La lune plaque en métal clair
Les découpures du vert sombre.

...Un chant; comme un écho, tout vif
Enterré, là, sous le massif...
— Ça se tait : Viens, c'est là, dans l'ombre...

— Un crapaud ! — Pourquoi cette peur,
Près de moi, ton soldat fidèle ?
Vois-le, poète tondu, sans aile,
Rossignol de la boue... — Horreur ! —

...Il chante — Horreur !! — Horreur pourquoi ?
Vois-tu pas son œil de lumière...
Non : il s'en va, froid, sous sa pierre.

.   .   .   .   .   .

Bonsoir — ce crapaud-là, c'est moi.

LETTRE DU MEXIQUE

La Vera-Cruz, 10 février.

Vous m'avez confié le petit. — Il est mort.
' Et plus d'un camarade avec, pauvre cher être,
' L'équipage... y en a plus. Il reviendra peut-être
    ' Quelques-uns de nous. — C'est le sort —

' Rien n'est beau comme ça — Matelot — pour un homme ;
' Tout le monde en voudrait à terre — C'est bien sûr.
' Sans le désagrément. Rien que ça : voyez comme
    ' Déjà l'apprentissage est dur.

' Je pleure en marquant ça, moi, vieux *Frère-la-Côte*.
' J'aurais donné ma peau joliment sans façon

70

‘ Pour vous le renvoyer... Moi, ce n'est pas ma faute :
  ‘ Ce mal n'a pas de raison.

‘ La fièvre est ici comme Mars en carême.
‘ Au cimetière on va toucher sa ration.
‘ Le zouave a nommé ça — Parisien quand même —
  ‘ *Le jardin d'acclimatation.*’

‘ Consolez-vous. Le monde y crève comme mouches
‘ ...J'ai trouvé dans son sac des souvenirs de cœur :
‘ Un portrait de fille, et deux petites babouches,
  ‘ Et : marqué — *Cadeau pour ma sœur.* —

‘ Il fait dire à *maman* : qu'il a fait sa prière.
‘ Au père : qu'il serait mieux mort dans un combat.
‘ Deux anges étaient là sur son heure dernière :
  ‘ Un matelot, un vieux soldat.’

LA FIN

Eh bien, tous ces marins — matelots, capitaines,
Dans leur grand Océan à jamais engloutis,
Partis insoucieux pour leurs courses lointaines,
Sont morts — absolument comme ils étaient partis.

Allons ! c'est leur métier : ils sont morts dans leurs bottes !
Leur *boujaron* au cœur, tout vifs dans leurs capotes...
— *Morts*... Merci : la *Camarde* a pas le pied marin ;
Qu'elle couche avec vous : c'est votre bonne femme...
— Eux, allons donc : entiers ! enlevés par la lame !
    Ou perdus dans un grain...

Un grain... est-ce la mort, ça ? La basse voilure
Battant à travers l'eau ! — Ça se dit *encombrer*...
Un coup de mer plombé, puis la haute mâture
Fouettant les flots ras, — et ça se dit *sombrer*.

— Sombrer. — Sondez ce mot. Votre *mort* est bien pâle
Et pas grand'chose à bord, sous la lourde rafale...

Pas grand'chose devant le grand sourire amer
Du matelot qui lutte. — Allons donc, de la place !—
Vieux fantôme éventé, la Mort, change de face :
  La Mer !...

Noyés ? — Eh ! allons donc ! Les *noyés* sont d'eau douce.
— Coulés ! corps et biens ! Et, jusqu'au petit mousse,
Le défi dans les yeux, dans les dents le juron !
A l'écume crachant une chique râlée,
Buvant sans haut-le-cœur *la grand'tasse salée*.
  — Comme ils ont bu leur boujaron. —
  . . . . .

— Pas de fond de six pieds, ni rats de cimetière :
Eux, ils vont aux requins ! L'âme d'un matelot,
Au lieu de suinter dans vos pommes de terre,
  Respire à chaque flot
  . . . . .

— Ecoutez, écoutez la tourmente qui beugle !...
C'est leur anniversaire. — Il revient bien souvent. —
O poète, gardez pour vous vos chants d'aveugle ;
— Eux : le *De profundis* que leur corne le vent.

...Qu'ils roulent infinis dans les espaces vierges !...
  Qu'ils roulent verts et nus,
Sans clous et sans sapins, sans couvercle, sans cierges...
— Laissez-les donc rouler, *terriens* parvenus !

SONNET A SIR BOB

    Chien de femme légère, braque anglais pur sang.

Beau chien, quand je te vois caresser ta maîtresse,
Je grogne malgré moi — pourquoi ? — Tu n'en sais rien...
— Ah ! c'est que moi — vois-tu — jamais je ne caresse,
Je n'ai pas de maîtresse, et... ne suis pas beau chien.

— *Bob ! Bob !* — Oh ! le fier nom à hurler d'allégresse !...
Si je m'appelais Bob... Elle dit Bob si bien !
Mais moi je ne suis pas *pur sang*. — Par maladresse,
On m'a fait *braque aussi*... mâtiné de chrétien.

— O Bob ! nous changerons, à la métempsycose :
Prends mon sonnet, moi ta sonnette à faveur rose ;
Toi ma peau, moi ton poil — avec puces ou non...

Et je serai *sir Bob*. — Son seul amour fidèle !
Je mordrai les roquets, elle me mordait, Elle !
Et j'aurai le collier portant Son petit nom.

ÉPITAPHE

TRISTAN-JOACHIM-ÉDOUARD CORBIÈRE, PHILOSOPHE

ÉPAVE, MORT-NÉ

Mélange adultère de tout :
De la fortune et pas le sou,
De l'énergie et pas de force,
La Liberté, mais une entorse.
Du cœur, du cœur ! de l'âme, non —
Des amis, pas un compagnon,
De l'idée et pas une idée,
De l'amour et pas une aimée,
La paresse et pas le repos.
Vertus chez lui furent défaut,
Ame blasée, inassouvie.
Mort, mais pas guéri de la vie,
Gâcheur de vie hors de propos,
Le corps à sec et la tête ivre,
Espérant, niant l'avenir,
Il mourut en s'attendant vivre
Et vécut s'attendant mourir.

ARTHUR RIMBAUD, 1854–1891

MA BOHÈME

Je m'en allais, les poings dans mes poches crevées ;
Mon paletot aussi devenait idéal ;
J'allais sous le ciel, Muse ! et j'étais ton féal ;
Oh ! là, là ! que d'amours splendides j'ai rêvées !

Mon unique culotte avait un large trou.
— Petit Poucet rêveur, j'égrenais dans ma course
Des rimes. Mon auberge était à la Grande-Ourse.
— Mes étoiles au ciel avaient un doux frou-frou

Et je les écoutais, assis au bord des routes,
Ces bons soirs de septembre où je sentais des gouttes
De rosée à mon front, comme un vin de vigueur ;

Où, rimant au milieu des ombres fantastiques,
Comme des lyres, je tirais les élastiques
De mes souliers blessés, un pied près de mon cœur !

VOYELLES

A noir, E blanc, I rouge, U vert, O bleu : voyelles,
Je dirai quelque jour vos naissances latentes :
A, noir corset velu des mouches éclatantes
Qui bombinent autour des puanteurs cruelles,

Golfes d'ombre ; E, candeurs des vapeurs et des tentes,
Lances des glaciers fiers, rois blancs, frissons d'ombelles ;
I, pourpres, sang craché, rire des lèvres belles
Dans la colère ou les ivresses pénitentes ;

U, cycles, vibrements divins des mers virides,
Paix des pâtis semés d'animaux, paix des rides
Que l'alchimie imprime aux grands fronts studieux ;

74

ARTHUR RIMBAUD

O, suprême clairon plein des strideurs étranges,
Silences traversés des Mondes et des Anges :
— O l'Oméga, rayon violet des Ses Yeux !

BATEAU IVRE

Comme je descendais des Fleuves impassibles,
Je ne me sentis plus guidé par les haleurs ;
Des Peaux-Rouges criards les avaient pris pour cibles,
Les ayant cloués nus aux poteaux de couleurs.

J'étais insoucieux de tous les équipages,
Porteur de blés flamands ou de cotons anglais.
Quand avec mes haleurs ont fini ces tapages,
Les Fleuves m'ont laissé descendre où je voulais.

Dans les clapotements furieux des marées,
Moi, l'autre hiver, plus sourd que les cerveaux d'enfants,
Je courus ! Et les Péninsules démarrées
N'ont pas subi tohu-bohus plus triomphants.

La tempête a béni mes éveils maritimes.
Plus léger qu'un bouchon j'ai dansé sur les flots
Qu'on appelle rouleurs éternels de victimes,
Dix nuits, sans regretter l'œil niais des falots.

Plus douce qu'aux enfants la chair des pommes sures,
L'eau verte pénétra ma coque de sapin
Et des taches de vins bleus et des vomissures
Me lava, dispersant gouvernail et grappin.

Et dès lors, je me suis baigné dans le Poème
De la Mer, infusé d'astres, et lactescent,
Dévorant les azurs verts où, flottaison blême
Et ravie, un noyé pensif, parfois, descend ;

Où, teignant tout-à-coup les bleuités, délires
Et rhythmes lents sous les rutilements du jour,
Plus fortes que l'alcool, plus vastes que nos lyres,
Fermentent les rousseurs amères de l'amour !

75

Je sais les cieux crevant en éclairs, et les trombes
Et les ressacs et les courants : je sais le soir,
L'Aube exaltée ainsi qu'un peuple de colombes,
Et j'ai vu quelquefois ce que l'homme a cru voir !

J'ai vu le soleil bas, taché d'horreurs mystiques,
Illuminant de longs figements violets,
Pareils à des acteurs de drames très-antiques,
Les flots roulant au loin leurs frissons de volets !

J'ai rêvé la nuit verte aux neiges éblouies,
Baiser montant aux yeux des mers avec lenteurs,
La circulation des sèves inouïes,
Et l'éveil jaune et bleu des phosphores chanteurs !

J'ai suivi, des mois pleins, pareille aux vacheries
Hystériques, la houle à l'assaut des récifs,
Sans songer que les pieds lumineux des Maries
Pussent forcer le mufle aux Océans poussifs !

J'ai heurté, savez-vous, d'incroyables Florides
Mêlant aux fleurs des yeux de panthères à peaux
D'hommes ! Des arcs-en ciel tendus comme des brides
Sous l'horizon des mers, à de glauques troupeaux.

J'ai vu fermenter les marais énormes, nasses
Où pourrit dans les joncs tout un Léviathan !
Des écroulements d'eaux au milieu des bonaces,
Et les lointains vers les gouffres cataractant !

Glaciers, soleils d'argent, flots nacreux, cieux de braises !
Échouages hideux au fond des golfes bruns
Où les serpents géants dévorés des punaises
Choient, des arbres tordus, avec de noirs parfums !

J'aurais voulu montrer aux enfants ces dorades
Du flot bleu, ces poissons d'or, ces poissons chantants.
— Des écumes de fleurs ont béni mes dérades,
Et d'ineffables vents m'ont ailé par instants.

Parfois, martyr lassé des pôles et des zones,
La mer, dont le sanglot faisait mon roulis doux,
Montait vers moi ses fleurs d'ombre aux ventouses jaunes
Et je restais, ainsi qu'une femme à genoux....

Presqu'île ballottant sur mes bords les querelles
Et les fientes d'oiseaux clabaudeurs aux yeux blonds ;
Et je voguais, lorsqu'à à travers mes liens frêles
Des noyés descendaient dormir, à reculons !...

Or moi, bateau perdu sous les cheveux des anses,
Jeté par l'ouragan dans l'éther sans oiseau,
Moi dont les Monitors et les voiliers des Hanses
N'auraient pas repêché la carcasse ivre d'eau ;

Libre, fumant, monté de brumes violettes,
Moi qui trouais le ciel rougeoyant comme un mur
Qui porte, confiture exquise aux bons poëtes,
Des lichens de soleil et des morves d'azur ;

Qui courais, taché de lunules électriques,
Planche folle, escorté des hippocampes noirs,
Quand les juillets faisaient crouler à coups de triques
Les cieux ultramarins aux ardents entonnoirs ;

Moi qui tremblais, sentant geindre à cinquante lieues
Le rut des Béhémots et des Maelstroms épais,
Fileur éternel des immobilités bleues,
Je regrette l'Europe aux anciens parapets !

J'ai vu des archipels sidéraux, et des îles
Dont les cieux délirants sont ouverts au vogueur :
— Est-ce en ces nuits sans fonds que tu dors et t'exiles,
Million d'oiseaux d'or, ô future Vigueur ? —

Mais, vrai, j'ai trop pleuré ! Les Aubes sont navrantes.
Toute lune est atroce et tout soleil amer :
L'âcre amour m'a gonflé de torpeurs enivrantes.
O que ma quille éclate ! O que j'aille à la mer !

Si je désire une eau d'Europe, c'est la flache
Noire et froide où vers le crépuscule embaumé
Un enfant accroupi plein de tristesse, lâche
Un bateau frêle comme un papillon de mai.

Je ne puis plus, baigné de vos langueurs, ô lames,
Enlever leur sillage aux porteurs de cotons,
Ni traverser l'orgueil des drapeaux et des flammes,
Ni nager sous les yeux horribles des pontons.

COMÉDIE DE LA SOIF

I (LES PARENTS)

Nous sommes tes Grands-Parents,
    Les Grands !
Couverts des froides sueurs
De la lune et des verdures.
Nos vins secs avaient du cœur !
Au soleil sans imposture
Que faut-il à l'homme ? boire...

MOI

Mourir aux fleuves barbares.

Nous sommes tes Grands-Parents
    Des champs...
L'eau est au fond des osiers :
Vois le courant du fossé
Autour du château mouillé.
Descendons dans nos celliers ;
Après le cidre, ou le lait.

MOI

Aller où boivent les vaches.

Nous sommes tes Grands-Parents ;
    Tiens, prends
Les liqueurs dans nos armoires ;
Le Thé, le Café, si rares,
Frémissent dans les bouilloires.
— Vois les images, les fleurs.
Nous rentrons du cimetière.

ARTHUR RIMBAUD

MOI

Ah ! tarir toutes les urnes !

II (L'ESPRIT)

Éternelles Ondines,
  Divisez l'eau fine.
Vénus, sœur de l'azur,
  Émeus le flot pur.

Juifs errants de Norvège,
  Dites-moi la neige.
Anciens exilés chers,
  Dites-moi la mer...

MOI

— Non, plus ces boissons pures,
  Ces fleurs d'eau pour verres ;
Légendes ni figures
  Ne me désaltèrent ;
Chansonnier, ta filleule
  C'est ma soif si folle,
Hydre intime, sans gueules,
  Qui mine et désole.

III (LES AMIS)

Viens ! les Vins vont aux plages,
Et les flots par millions !
Vois le Bitter sauvage
Rouler du haut des monts !
Gagnons, pèlerins sages,
L'Absinthe aux verts piliers...

MOI

Plus ces paysages.
Qu'est l'ivresse, Amis ?

J'aime autant, mieux, même,
Pourrir dans l'étang,
Sous l'affreuse crème,
Près des bois flottants.

79

IV (LE PAUVRE SONGE)

Peut-être un Soir m'attend
Où je boirai tranquille
En quelque vieille Ville,
Et mourrai plus content
Puisque je suis patient !

Si mon mal se résigne,
Si jamais j'ai quelque or,
Choisirai-je le Nord
Ou le Pays des Vignes ?...
— Ah ! songer est indigne

Puisque c'est pure perte !
Et si je redeviens
Le voyageur ancien,
Jamais l'auberge verte
Ne peut bien m'être ouverte.

V (CONCLUSION)

Les pigeons qui tremblent dans la prairie,
Le gibier qui court et qui voit la nuit,
Les bêtes des eaux, la bête asservie,
Les derniers papillons !.... ont soif aussi.

Mais fondre où fond ce nuage sans guide,
— Oh ! favorisé de ce qui soit frais !
Expirer en ces violettes humides
Dont les aurores chargent ces forêts ?

APRÈS LE DÉLUGE

Aussitôt que l'idée du Déluge se fût rassise,

Un lièvre s'arrêta dans les sainfoins et les clochettes mouvantes, et dit sa prière à l'arc-en-ciel à travers la toile d'araignée.

Oh ! les pierres précieuses qui se cachaient, — les fleurs qui regardaient déjà.

Dans la grande rue sale les étals se dressèrent, et l'on tira les barques vers la mer étagée là-haut comme sur les gravures.

Le sang coula, chez Barbe-Bleue, — aux abattoirs, — dans les cirques, où le sceau de Dieu blêmit les fenêtres. Le sang et le lait coulèrent.

Les castors bâtirent. Les 'mazagrans' fumèrent dans les estaminets.

Dans la grande maison de vitres encore ruisselante les enfants en deuil regardèrent les merveilleuses images.

Une porte claqua, et, sur la place du hameau, l'enfant tourna ses bras, compris des girouettes et des coqs des clochers de partout, sous l'éclatante giboulée.

Madame * * * établit un piano dans les Alpes. La messe et les premières communions se célébrèrent aux cent mille autels de la cathédrale.

Les caravanes partirent. Et le Splendide-Hôtel fut bâti dans le chaos de glaces et de nuit du pôle.

Depuis lors, la Lune entendit les chacals piaulant par les déserts de thym, — et les églogues en sabots grognant dans le verger. Puis, dans la futaie violette, bourgeonnante, Eucharis me dit que c'était le printemps.

Sourds, étang ; — Écume, roule sur le pont et par-dessus les bois ; — draps noirs et orgues, éclairs et tonnerre, montez et roulez ; — Eaux et tristesses, montez et relevez les Déluges.

Car depuis qu'ils se sont dissipés, — oh ! les pierres précieuses s'enfouissant, et les fleurs otuvertes ! — c'est un ennui ! et la Reine, la Sorcière qui allume sa braise dans le pot de terre, ne voudra jamais nous raconter ce qu'elle sait, et que nous ignorons.

MARINE

Les chars d'argent et de cuivre —
Les proues d'acier et d'argent —
Battent l'écume, —
Soulèvent les souches des ronces.
Les courants de la lande,
Et les ornières immenses du reflux,
Filent circulairement vers l'est,
Vers les piliers de la forêt,
Vers les fûts de la jetée,
Dont l'angle est heurté par des tourbillons de lumière.

CHANSON DE LA PLUS HAUTE TOUR

Oisive jeunesse
A tout asservie,
Par délicatesse
J'ai perdu ma vie.
Ah ! Que le temps vienne
Où les cœurs s'éprennent.

Je me suis dit : laisse,
Et qu'on ne te voie ;
Et sans la promesse
De plus hautes joies.
Que rien ne t'arrête,
Auguste retraite.

J'ai tant fait patience
Qu'à jamais j'oublie ;
Craintes et souffrances
Aux cieux sont parties.
Et la soif malsaine
Obscurcit mes veines.

Ainsi la Prairie
A l'oubli livrée,
Grandie, et fleurie
D'encens et d'ivraies
Au bourdon farouche
De cent sales mouches.

Ah ! Mille veuvages
De la si pauvre âme
Que n'a que l'image
De la Notre-Dame !
Est-ce que l'on prie
La Vierge Marie ?

Oisive jeunesse
A tout asservie,
Par délicatesse

82

ARTHUR RIMBAUD

J'ai perdu ma vie.
Ah ! Que le temps vienne
Où les cœurs s'éprennent.

L'ÉTERNITÉ

Elle est retrouvée.
Quoi ? — L'Eternité.
C'est la mer allée
Avec le soleil.

Ame sentinelle,
Murmurons l'aveu
De la nuit si nulle
Et du jour en feu.

Des humains suffrages,
Des communs élans
Là tu te dégages
Et voles selon.

Puisque de vous seules,
Braises de satin,
Le Devoir s'exhale
Sans qu'on dise : enfin.

Là pas d'espérance,
Nul orietur.
Science avec patience,
Le supplice est sûr.

Elle est retrouvée.
Quoi ? — L'Éternité.
C'est la mer allée
Avec le soleil.

O saisons, ô châteaux

O saisons, ô châteaux,
Quelle âme est sans défauts ?

O saisons, ô châteaux,

J'ai fait la magique étude
Du bonheur, que nul n'élude.

O vive lui, chaque fois
Que chante le coq gaulois.

Mais je n'aurai plus d'envie,
Il s'est chargé de ma vie.

Ce charme ! il prit âme et corps,
Et dispersa tous efforts.

Que comprendrea à ma parole ?
Il fait qu'elle fuie et vole !

O saisons, ô châteaux !

MATIN

N'eus-je pas *une fois* une jeunesse aimable, héroïque,
fabuleuse, à écrire sur des feuilles d'or, — trop de chance !
Par quel crime, par quelle erreur, ai-je mérité ma faiblesse
actuelle ?   Vous qui prétendez que des bêtes poussent des
sanglots de chagrin, que des malades désespèrent, que des
morts rêvent mal, tâchez de raconter ma chute et mon sommeil.   Moi, je ne puis pas plus m'expliquer que le mendiant
avec ses continuels *Pater* et *Ave Maria*.   *Je ne sais plus parler !*
    Pourtant, aujourd'hui, je crois avoir fini la relation de mon
enfer.   C'était bien l'enfer ; l'ancien, celui dont le fils de
l'homme ouvrit les portes.
    Du même désert, à la même nuit, toujours mes yeux las se
réveillent à l'étoile d'argent, toujours, sans que s'émeuvent les
Rois de la vie, les trois mages, le cœur, l'âme, l'esprit.   Quand
irons-nous, par delà les grèves et les monts, saluer la naissance du travail nouveau, la sagesse nouvelle, la fuite des
tyrans et des démons, la fin de la superstition, adorer — les
premiers ! — Noël sur la terre !
    Le chant des cieux, la marche des peuples !   Esclaves, ne
maudissons pas la vie.

ADIEU

L'automne déjà ! — Mais pourquoi regretter un éternel soleil, si nous sommes engagés à la découverte de la clarté divine, — loin des gens qui meurent sur les saisons.

L'automne. Notre barque élevée dans les brumes immobiles tourne vers le port de la misère, la cité énorme au ciel taché de feu et de boue. Ah ! les haillons pourris, le pain trempé de pluie, l'ivresse, les mille amours qui m'ont crucifié ! Elle ne finira donc point cette goule reine de millions d'âmes et de corps morts *et qui seront jugés !* Je me revois la peau rongée par la boue et la peste, des vers plein les cheveux et les aisselles et encore de plus gros vers dans le cœur, étendu parmi les inconnus sans âge, sans sentiment... J'aurais pu y mourir... L'affreuse évocation ! J'exècre la misère.

Et je redoute l'hiver parce que c'est la saison du comfort !

— Quelquefois je vois au ciel des plages sans fin couvertes de blanches nations en joie. Un grand vaisseau d'or, au-dessus de moi, agite ses pavillons multicolores sous les brises du matin. J'ai créé toutes les fêtes, tous les triomphes, tous les drames. J'ai essayé d'inventer de nouvelles fleurs, de nouveaux astres, de nouvelles chairs, de nouvelles langues. J'ai cru acquérir des pouvoirs surnaturels. Eh bien ! je dois enterrer mon imagination et mes souvenirs ! Une belle gloire d'artiste et de conteur emportée !

Moi ! moi qui me suis dit mage ou ange, dispensé de toute morale, je suis rendu au sol, avec un devoir à chercher, et la réalité rugueuse à étreindre ! Paysan !

Suis-je trompé ? la charité serait-elle sœur de la mort, pour moi ?

Enfin, je demanderai pardon pour m'être nourri de mensonge. Et allons.

Mais pas une main amie ! et où puiser le secours ?

*

Oui, l'heure nouvelle est au moins très-sévère.

Car je puis dire que la victoire m'est acquise ; les grincements de dents, les sifflements de feu, les soupirs empestés se modèrent. Tous les souvenirs immondes s'effacent. Mes derniers regrets détalent, — des jalousies pour les mendiants, les brigands, les amis de la mort, les arriérés de toutes sortes. — Damnés, si je me vengeais !

Il faut être absolument moderne.

Point de cantiques : tenir le pas gagné. Dure nuit ! le sang séché fume sur ma face, et je n'ai rien derrière moi, que cet horrible arbrisseau !... Le combat spirituel est aussi brutal que la bataille d'hommes ; mais la vision de la justice est le plaisir de Dieu seul.

Cependant c'est la veille. Recevons tous les influx de vigueur et de tendresse réelle. Et à l'aurore, armés d'une ardente patience, nous entrerons aux splendides villes.

Que parlais-je de main amie ! Un bel avantage, c'est que je puis rire des vieilles amours mensongères, et frapper de honte ces couples menteurs, — j'ai vu l'enfer des femmes là-bas ; — et il me sera loisible de *posséder la vérité dans une âme et un corps.*

avril-août, 1873.

EMILE VERHAEREN, 1855–1916

LE GEL

Ce soir, un grand ciel clair, surnaturel, abstrait,
Froid d'étoiles, infiniment inaccessible
A la prière humaine, un grand ciel clair paraît.
Il fige en son miroir l'éternité visible.

Le gel étreint cet infini d'argent et d'or,
Le gel étreint les vents, la grève et le silence
Et les plaines et les plaines ; le gel qui mord
Les lointains bleus, où les astres pointent leur lance.

Silencieux, les bois, la mer et ce grand ciel
Et sa lueur immobile et dardante !
Et rien qui remuera cet ordre essentiel
Et ce règne de neige acerbe et corrodante.

Immutabilité totale. On sent du fer
Et des étaux serrer son cœur morne et candide ;
Et la crainte saisit d'un immortel hiver
Et d'un grand Dieu soudain, glacial et splendide.

LONDRES

Et ce Londres de fonte et de bronze, mon âme,
Où des plaques de fer claquent sous des hangars,
   Où des voiles s'en vont, sans Notre-Dame
Pour étoile, s'en vont, là-bas, vers les hasards.

Gares de suie et de fumée, où du gaz pleure
Ses spleens d'argent lointain vers des chemins d'éclair,
   Où des bêtes d'ennui bâillent à l'heure
Dolente immensément, qui tinte à Westminster.

Et ces quais infinis de lanternes fatales,
Parques dont les fuseaux plongent aux profondeurs,
   Et ces marins noyés sous les pétales
Des fleurs de boue où la flamme met des lueurs.

Et ces châles et ces gestes de femmes soûles,
Et ces alcools de lettres d'or jusques aux toits,
   Et tout à coup la mort, parmi ces foules ;
O mon âme du soir, ce Londres noir qui traîne en toi :

PIEUSEMENT

La nuit d'hiver élève au ciel son pur calice.

Et je lève mon cœur aussi, mon cœur nocturne,
Seigneur, mon cœur ! mon cœur ! vers ton infini vide,
Et néanmoins je sais que tout est taciturne
Et qu'il n'existe rien dont ce cœur meure, avide ;
Et je te sais mensonge et mes lèvres te prient

Et mes genoux ; je sais et tes grandes mains closes
Et tes grands yeux fermés aux désespoirs qui crient
Et que c'est moi, qui seul, me rêve dans les choses ;
Sois de pitié, Seigneur, pour ma toute démence,
J'ai besoin de pleurer mon mal vers ton silence !...

La nuit d'hiver élève au ciel son pur calice.

LE CRI

Sur un étang désert que lustre une eau brunie,
Un rai du soir s'accroche au sommet d'un roseau,
Un cri s'écoute, un cri désespéré d'oiseau,
Un cri pauvre qui pleure au loin une agonie.

Comme il est faible et frêle et peureux et fluet !
Et comme avec tristesse il se traîne et s'écoute,
Et comme il se répète et comme avec la route
Il s'enfonce et se perd dans l'horizon muet !

Et comme il scande l'heure, au rythme de son râle,
Et comme, en son accent minable et souffreteux,
Et comme, en son écho languissant et boiteux,
Se plaint infiniment la douleur vespérale !

Il est si doux parfois qu'on ne le saisit pas.
Et néanmoins toujours, et sans fatigue, il tinte

L'obscur et triste adieu de quelque vie éteinte ;
Il dit les pauvres morts et les pauvres trépas :

La mort des fleurs, la mort des insectes, la douce
Mort des ailes et des tiges et des parfums ;
Il dit les vols lointains et clairs qui sont défunts
Et reposent, cassés, dans l'herbe et dans la mousse.

LES PAUVRES

Il est ainsi de pauvres cœurs
avec, en eux, des lacs de pleurs,
qui sont pâles, comme les pierres
d'un cimetière.

Il est ainsi de pauvres dos
plus lourds de peine et de fardeaux
que les toits des cassines brunes,
parmi les dunes.

Il est ainsi de pauvres mains,
comme feuilles sur les chemins,
comme feuilles jaunes et mortes,
devant la porte.

Il est ainsi de pauvres yeux
humbles et bons et soucieux
et plus tristes que ceux des bêtes,
sous la tempête.

Il est ainsi de pauvres gens,
Aux gestes las et indulgents
Sur qui s'acharne la misère,
au long des plaines de la terre.

LA RÉVOLTE

La rue, en un remous de pas,
De corps et d'épaules d'où sont tendus des bras
Sauvagement ramifiés vers la folie,
Semble passer volante,

Et ses fureurs, au même instant, s'allient
A des haines, à des appels, à des espoirs ;
La rue en or,
La rue en rouge, au fond des soirs.

Toute la mort
En des beffrois tonnants se lève ;
Toute la mort, surgie en rêves,
Avec des feux et des épées
Et des têtes, à la tige des glaives,
Comme des fleurs atrocement coupées.

La toux des canons lourds,
Les lourds hoquets des canons sourds
Mesurent seuls les pleurs et les abois de l'heure.
Les cadrans blancs des carrefours obliques,
Comme des yeux en des paupières,
Sont défoncés à coups de pierres :
Le temps normal n'existant plus
Pour les cœurs fous et résolus
De ces foules hyperboliques.

La rage, elle a bondi de terre
Sur un monceau de pavés gris,
La rage immense, avec des cris,
Avec du sang féroce en ses artères,
Et pâle et haletante
Et si terriblement
Que son moment d'élan vaut à lui seul le temps
Que met un siècle en gravitant
Autour de ses cent ans d'attente.

Tout ce qui fut rêvé jadis ;
Ce que les fronts les plus hardis
Vers l'avenir ont instauré ;
Ce que les âmes ont brandi,
Ce que les yeux ont imploré,
Ce que toute la sève humaine
Silencieuse a renfermé,
S'épanouit, aux mille bras armés
De ces foules, brassant leur houle avec leurs haines.

C'est la fête du sang qui se déploie,
A travers la terreur, en étendards de joie :
Des gens passent rouges et ivres ;
Des gens passent sur des gens morts ;
Les soldats clairs, casqués de cuivre,
Ne sachant plus où sont les droits, où sont les torts.
Las d'obéir, chargent, mollassement,
Le peuple énorme et véhément
Qui veut enfin que sur sa tête
Luisent les ors sanglants et violents de la conquête.

— Tuer, pour rajeunir et pour créer !
Ainsi que la nature inassouvie
Mordre le but, éperdument,
A travers la folie énorme d'un moment :
Tuer ou s'immoler pour tordre de la vie ! —
Voici des ponts et des maisons qui brûlent,
En façades de sang, sur le fond noir du crépuscule ;
L'eau des canaux en réfléchit les fumantes splendeurs,
De haut en bas, jusqu'en ses profondeurs ;
D'énormes tours obliquement dorées
Barrent la ville au loin d'ombres démesurées ;
Les bras des feux, ouvrant leurs mains funèbres,
Eparpillent des tisons d'or par les ténèbres ;
Et les brasiers des toits sautent en bonds sauvages,
Hors d'eux-mêmes, jusqu'aux nuages.

On fusille par tas, là-bas.

La mort, avec des doigts précis et mécaniques,
Au tir rapide et sec des fusils lourds,
Abat, le long des murs du carrefour,
Des corps raidis en gestes tétaniques ;
Leurs rangs entiers tombent comme des barres.
Des silences de plomb pèsent sur les bagarres.
Les cadavres, dont les balles ont fait des loques,
Le torse à nu, montrent leurs chairs baroques ;
Et le reflet dansant des lanternes fantasques
Crispe en rire le cri dernier sur tous ces masques.

Tapant et haletant, le tocsin bat,
Comme un cœur dans un combat,
Quand, tout à coup, pareille aux voix asphyxiées,
Telle cloche qui âprement tintait,
Dans sa tourelle incendiée,
Se tait.

Aux vieux palais publics, d'où les échevins d'or
Jadis domptaient la ville et refoulaient l'effort
Et la marée en rut des multitudes fortes,
On pénètre, cognant et martelant les portes ;
Les clefs sautent et les verrous ;
Des armoires de fer ouvrent leur trou,
Où s'alignent les lois et les harangues ;
Une torche les lèche, avec sa langue,
Et tout leur passé noir s'envole et s'éparpille,
Tandis que dans la cave et les greniers on pille
Et que l'on jette au loin, par les balcons hagards,
Des corps humains fauchant le vide avec leurs bras épars.

Dans les églises,
Les verrières, où les martyres sont assises,
Jonchent le sol et s'émiettent comme du chaume ;
Un Christ, exsangue et long comme un fantôme,
Est lacéré et pend, tel un haillon de bois,
Au dernier clou qui perce encor sa croix ;
Le tabernacle, où sont les chrêmes,
Est enfoncé, à coups de poings et de blasphèmes ;
On soufflette les Saints près des autels debout
Et dans la grande nef, de l'un à l'autre bout,
— Telle une neige — on dissémine les hosties
Pour qu'elles soient, sous des talons rageurs, anéanties.

Tous les joyaux du meurtre et des désastres,
Etincellent ainsi, sous l'œil des astres ;
La ville entière éclate
En pays d'or coiffé de flammes écarlates ;
La ville, au fond des soirs, vers les lointains houleux,
Tend sa propre couronne énormément en feu ;
Toute la rage et toute la folie
Brassent la vie avec leur lie,

EMILE VERHAEREN

Si fort que, par instants, le sol semble trembler,
Et l'espace brûler
Et la fumée et ses fureurs s'écheveler et s'envoler
Et balayer les grands cieux froids.

— Tuer, pour rajeunir et pour créer ;
Ou pour tomber et pour mourir, qu'importe !
Ouvrir, ou se casser les poings contre la porte !
Et puis — que son printemps soit vert ou qu'il soit rouge —
N'est-elle point, dans le monde, toujours,
Haletante, par à travers les jours,
La puissance profonde et fatale qui bouge !

VERS LE FUTUR

O race humaine aux astres d'or nouée,
As-tu senti de quel travail formidable et battant,
Soudainement, depuis cent ans,
Ta force immense est secouée ?

Du fond des mers, à travers terre et cieux,
Jusques à l'or errant des étoiles perdues,
De nuit en nuit et d'étendue en étendue,
Se prolonge là-haut le voyage des yeux.

Tandis qu'en bas les ans et les siècles funèbres,
Couchés dans les tombeaux stratifiés des temps,
Sont explorés, de continent en continent,
Et surgissent poudreux et clairs de leurs ténèbres.

L'acharnement à tout peser, à tout savoir,
Fouille la forêt drue et mouvante des êtres
Et malgré la broussaille où tel pas s'enchevêtre
L'homme conquiert sa loi des droits et des devoirs.

Dans le ferment, dans l'atome, dans la poussière,
La vie énorme est recherchée et apparaît.
Tout est capté dans une infinité de rets
Que serre ou que distend l'immortelle matière.

Héros, savant, artiste, apôtre, aventurier,
Chacun troue à son tour le mur noir des mystères
Et grâce à ces labeurs groupés ou solitaires,
L'être nouveau se sent l'univers tout entier.

Et c'est vous, vous les villes,
Debout
De loin en loin, là-bas, de l'un à l'autre bout
Des plaines et des domaines
Qui concentrez en vous assez d'humanité,
Assez de force rouge et de neuve clarté,
Pour enflammer de fièvre et de rage fécondes
Les cervelles patientes ou violentes
De ceux
Qui découvrent la règle et résument en eux,
Le monde.

L'esprit des campagnes était l'esprit de Dieu ;
Il eut la peur de la recherche et des révoltes,
Il chut ; et le voici qui meurt, sous les essieux
Et sous les chars en feu des nouvelles récoltes.

La ruine s'installe et souffle aux quatre coins
D'où s'acharnent les vents, sur la plaine finie,
Tandis que la cité lui soutire de loin
Ce qui lui reste encor d'ardeur dans l'agonie.

L'usine rouge éclate où seuls brillaient les champs ;
La fumée à flots noirs rase les toits d'église ;
L'esprit de l'homme avance et le soleil couchant
N'est plus l'hostie en or divin qui fertilise.

Renaîtront-ils, les champs, un jour, exorcisés
De leurs erreurs, de leurs affres, de leur folie ;
Jardins pour les efforts et les labeurs lassés,
Coupes de clarté vierge et de santé remplies ?

Referont-ils, avec l'ancien et bon soleil,
Avec le vent, la pluie et les bêtes serviles,
En des heures de sursaut libre et de réveil,
Un monde enfin sauvé de l'emprise des villes ?

Ou bien deviendront-ils les derniers paradis
Purgés des dieux et affranchis de leurs présages,
Où s'en viendront rêver, à l'aube et aux midis,
Avant de s'endormir dans les soirs clairs, les sages ?

En attendant, la vie ample se satisfait
D'être une joie humaine, effrénée et féconde ;
Les droits et les devoirs ?   Rêves divers que fait
Devant chaque espoir neuf, la jeunesse du monde !

UN SOIR

Celui qui me lira dans les siècles, un soir,
Troublant mes vers, sous leur sommeil ou sous leur cendre,
Et ranimant leur sens lointain pour mieux comprendre
Comment ceux d'aujourd'hui s'étaient armés d'espoir,

Qu'il sache, avec quel violent élan, ma joie
S'est, à travers les cris, les révoltes, les pleurs,
Ruée au combat fier et mâle des douleurs,
Pour en tirer l'amour, comme on conquiert sa proie.

J'aime mes yeux fiévreux, ma cervelle, mes nerfs,
Le sang dont vit mon cœur, le cœur dont vit mon torse ;
J'aime l'homme et le monde et j'adore la force
Que donne et prend ma force à l'homme et l'univers.

Car vivre, c'est prendre et donner avec liesse.
Mes pairs, ce sont ceux-là qui s'exaltent autant
Que je me sens moi-même avide et haletant
Devant la vie intense et sa rouge sagesse.

Heures de chute ou de grandeur ! — tout se confond
Et se transforme en ce brasier qu'est l'existence ;
Seul importe que le désir reste en partance,
Jusqu'à la mort, devant e'éveil des horizons.

Celui qui trouve est un cerveau qui communie
Avec la fourmillante et large humanité.
L'esprit plonge et s'enivre en pleine immensité ;
Il faut aimer, pour découvrir avec génie.

Une tendresse énorme emplit l'âpre savoir,
Il exalte la force et la beauté des mondes,
Il devine les liens et les causes profondes ;
O vous qui me lirez, dans les siècles, un soir,

Comprenez-vous pourquoi mon vers vous interpelle ?
C'est qu'en vos temps quelqu'un d'ardent aura tiré
Du cœur de la nécessité même, le vrai,
Bloc clair, pour y dresser l'entente universelle.

LE NAVIRE

Nous avancions, tranquillement, sous les étoiles ;
La lune oblique errait autour du vaisseau clair,
Et l'étagement blanc des vergues et des voiles
Projetait sa grande ombre au large sur la mer.

La froide pureté de la nuit embrasée
Scintillait dans l'espace et frissonnait sur l'eau ;
On voyait circuler la grande Ourse et Persée
Comme en des cirques d'ombre éclatante, là-haut.

Dans le mât d'artimon et le mât de misaine,
De l'arrière à l'avant où se dardaient les feux,
Des ordres, nets et continus comme des chaînes,
Se transmettaient soudain et se nouaient entre eux.

Chaque geste servait à quelque autre plus large
Et lui vouait l'instant de son utile ardeur,
Et la vague portant la carène et sa charge
Leur donnait pour support sa lucide splendeur.

La belle immensité exaltait la gabarre,
Dont l'étrave marquait les flots d'un long chemin,
L'homme, qui maintenait à contre-vent la barre,
Sentait vibrer tout le navire entre ses mains.

Il tanguait sur l'effroi, la mort et les abîmes,
D'accord avec chaque astre et chaque volonté,
Et, maîtrisant ainsi les forces unanimes,
Semblait dompter et s'asservir l'éternité.

O *la splendeur de notre joie*

O la splendeur de notre joie
Tissée en or dans l'air de soie !

Voici la maison douce et son pignon léger,
Et le jardin et le verger.

Voici le banc, sous les pommiers
D'où s'effeuille le printemps blanc,
A pétales frôlants et lents.

Voici des vols de lumineux ramiers
Planant, ainsi que des présages,
Dans le ciel clair du paysage.

Voici, pareils à des baisers tombés sur terre
De la bouche du frêle azur,
Deux bleus étangs simples et purs,
Bordés naïvement de fleurs involontaires.

O la splendeur de notre joie et de nous-mêmes,
En ce jardin où nous vivons de nos emblèmes.

Lorsque *tu fermeras*

Lorsque tu fermeras mes yeux à la lumière,
Baise-les longuement, car ils t'auront donné
Tout ce qui peut tenir d'amour passionné
Dans le dernier regard de leur ferveur dernière.

Sous l'immobile éclat du funèbre flambeau,
Penche vers leur adieu ton triste et beau visage
Pour que s'imprime et dure en eux la seule image
Qu'ils garderont dans le tombeau.

Et que je sente, avant que le cercueil se cloue,
Sur le lit pur et blanc se rejoindre nos mains
Et que près de mon front sur les pâles coussins,
Une suprême fois se repose ta joue.

Et qu'après je m'en aille au loin avec mon cœur,
Qui te conservera une flamme si forte
Que même à travers la terre compacte et morte
Les autres morts en sentiront l'ardeur !

JEAN MORÉAS, 1856–1910

Les morts m'écoutent seuls

Les morts m'écoutent seuls, j'habite les tombeaux ;
Jusqu'au bout je serai l'ennemi de moi-même.
Ma gloire est aux ingrats, mon grain est aux corbeaux ;
Sans récolter jamais je laboure et je sème.

Je ne me plaindrai pas : qu'importe l'Aquilon,
L'opprobre et le mépris, la face de l'injure !
Puisque quand je te touche, ô lyre d'Apollon,
Tu sonnes chaque fois plus savante et plus pure ?

Sunium, Sunium

Sunium, Sunium, sublime promontoire
    Sous le ciel le plus beau,
De l'âme et de l'esprit, de toute humaine gloire
    Le berceau, le tombeau !

Jadis, bien jeune encor, lorsque le jour splendide
    Sort de l'ombre vainqueur,
Ton image a blessé, comme d'un trait rapide,
    Les forces de mon cœur.

Ah ! qu'il saigne, ce cœur ! et toi, mortelle vue,
    Garde toujours doublé,
Au-dessus d'une mer azurée et chenue,
    Un temple mutilé.

Compagne de l'éther

Compagne de l'éther, indolente fumée,
    Je te ressemble un peu :
Ta vie est d'un instant, la mienne est consumée,
    Mais nous sortons du feu.

L'homme, pour subsister, en recueillant la cendre,
    Qu'il use ses genoux !
Sans plus nous soucier et sans jamais descendre,
    Evanouissons-nous !

JULES LAFORGUE, 1860–1887

APOTHÉOSE

En tous sens, à jamais, le silence fourmille
De grappes d'astres d'or mêlant leurs tournoiements.
On dirait des jardins sablés de diamants,
Mais, chacun, morne et très solitaire, scintille.

Or, là-bas, dans ce coin inconnu, qui pétille
D'un sillon de rubis mélancoliquement,
Tremblote une étincelle au doux clignotement :
Patriarche éclaireur conduisant sa famille.

Sa famille : un essaim de globes lourds fleuris.
Et sur l'un, c'est la terre, un point jaune, Paris,
Où, pendue, une lampe, un pauvre fou qui veille :

Dans l'ordre universel, frêle, unique merveille.
Il en est le miroir d'un jour et le connaît.
Il y rêve longtemps, puis en fait un sonnet.

L'IMPOSSIBLE

Je puis mourir ce soir ! Averses, vents, soleil
Distribueront partout mon cœur, mes nerfs, mes moelles.
Tout sera dit pour moi ! Ni rêve, ni réveil.
Je n'aurai pas été là-bas, dans les étoiles !

En tous sens, je le sais, sur ces mondes lointains,
Pèlerins comme nous des pâles solitudes,
Dans la douceur des nuits tendant vers nous les mains,
Des Humanités sœurs rêvent par multitudes !

Oui ! des frères partout ! (Je le sais ! je le sais !)
Ils sont seuls comme nous. — Palpitants de tristesse,
La nuit, ils nous font signe ! Ah ! n'irons-nous, jamais ?
On se consolerait dans la grande détresse !

Les astres, c'est certain, un jour s'aborderont !
Peut-être alors luira l'Aurore universelle
Que nous chantent ces gueux qui vont, l'Idée au front !
Ce sera contre Dieu la clameur fraternelle !

Hélas ! avant ces temps, averses, vents, soleil
Auront au loin perdu mon cœur, mes nerfs, mes moelles ;
Tout se fera sans moi ! Ni rêve, ni réveil !
Je n'aurai pas été dans les douces étoiles !

COMPLAINTE DE LA LUNE EN PROVINCE

Ah ! la belle pleine Lune,
Grosse comme une fortune !

La retraite sonne au loin,
Un passant, monsieur l'adjoint ;

Un clavecin joue en face,
Un chat traverse la place !

La province qui s'endort !
Plaquant un dernier accord,

Le piano clôt sa fenêtre.
Quelle heure peut-il bien être ?

Calme Lune, quel exil !
Faut-il dire : ainsi soit-il ?

Lune, ô dilettante Lune,
A tous les climats commune,

Tu vis hier le Missouri,
Et les remperts de Paris,

Les fiords bleus de la Norvège,
Les pôles, les mers, que sais-je ?

Lune heureuse ? ainsi tu vois,
A cette heure, le convoi

De son voyage de noce !
Ils sont partis pour l'Ecosse.

Quel panneau, si, cet hiver,
Elle eût pris au mot mes vers !

Lune, vagabonde Lune,
Faisons cause et mœurs communes ?

O riches nuits ! je me meurs,
La province dans le cœur !

Et la Lune a, bonne vieille,
Du coton dans les oreilles.

L'HIVER QUI VIENT

Blocus sentimental ! Messageries du Levant !...
Oh, tombée de la pluie ! Oh ! tombée de la nuit,
Oh ! le vent !...
La Toussaint, la Noël et la Nouvelle Année,
Oh, dans les bruines, toutes mes cheminées !...
D'usines...

On ne peut plus s'asseoir, tous les bancs sont mouillés;
Crois-moi, c'est bien fini jusqu'à l'année prochaine,
Tous les bancs sont mouillés, tant les bois sont rouillés,
Et tant les cors ont fait ton ton, ont fait ton taine !...
Ah ! nuées accourues des côtes de la Manche,
Vous nous avez gâté notre dernier dimanche.

Il bruine ;
Dans la forêt mouillée, les toiles d'araignées
Ploient sous les gouttes d'eau, et c'est leur ruine.
Soleils plénipotentiaires des travaux en blonds Pactoles
Des spectacles agricoles,
Où êtes-vous ensevelis ?
Ce soir un soleil fichu gît au haut du coteau,
Gît sur le flanc, dans les genêts, sur son manteau.
Un soleil blanc comme un crachat d'estaminet

Sur une litière de jaunes genêts,
De jaunes genêts d'automne.
Et les cors lui sonnent !
Qu'il revienne...
Qu'il revienne à lui !
Taïaut ! Taïaut ! et hallali !
O triste antienne, as-tu fini !...
Et font les fous !...
Et il gît là, comme une glande arrachée dans un cou,
Et il frissonne, sans personne !...

Allons, allons, et hallali !
C'est l'Hiver bien connu qui s'amène ;
Oh ! les tournants des grandes routes,
Et sans petit Chaperon Rouge qui chemine !...
Oh ! leurs ornières des chars de l'autre mois,
Montant en don quichottesques rails
Vers les patrouilles des nuées en déroute
Que le vent malmène vers les transatlantiques bercails !...
Accélérons, accélérons, c'est la saison bien connue, cette fois.
Et le vent, cette nuit, il en a fait de belles !
O dégâts, ô nids, ô modestes jardinets !
Mon cœur et mon sommeil : ô échos des cognées !...

Tous ces rameaux avaient encor leurs feuilles vertes,
Les sous-bois ne sont plus qu'un fumier de feuilles mortes ;
Feuilles, folioles, qu'un bon vent vous emporte
Vers les étangs par ribambelles,
Ou pour le feu du garde-chasse,
Ou les sommiers des ambulances
Pour les soldats loin de la France.

C'est la saison, c'est la saison, la rouille envahit les masses,
La rouille ronge en leurs spleens kilométriques
Les fils télégraphiques des grandes routes où nul ne passe.

Les cors, les cors, les cors — mélancoliques !...
Mélancoliques !...
S'en vont, changeant de ton,
Changeant de ton et de musique,

Ton ton, ton taine, ton ton !...
Les cors, les cors, les cors !...
S'en sont allés au vent du Nord.

Je ne puis quitter ce ton : que d'échos !...
C'est la saison, c'est la saison, adieu vendanges !...
Voici venir les pluies d'une patience d'ange,
Adieu vendanges, et adieu tous les paniers,
Tous les paniers Watteau des bourrées sous les marronniers.
C'est la toux dans les dortoirs du lycée qui rentre,
C'est la tisane sans le foyer,
La phtisie pulmonaire attristant le quartier,
Et toute la misère des grands centres.

Mais, lainages, caoutchoucs, pharmacie, rêve,
Rideaux écartés du haut des balcons des grèves
Devant l'océan de toitures des faubourgs,
Lampes, estampes, thé, petits-fours,
Serez-vous pas mes seules amours !...
(Oh ! et puis, est-ce que tu connais, outre les pianos,
Le sobre et vespéral mystère hebdomadaire
Des statistiques sanitaires
Dans les journaux ?)

Non, non ! c'est la saison et la planète falote !
Que l'autan, que l'autan
Effiloche les savates que le temps se tricote !
C'est la saison, oh déchirements ! c'est la saison !
Tous les ans, tous les ans,
J'essaierai en chœur d'en donner la note.

CHARLES VAN LERBERGHE, 1861–1907

Quand vient le soir

Quand vient le soir,
Des cygnes noirs,
Ou des fées sombres,
Sortent des fleurs, des choses, de nous :
Ce sont nos ombres.

Elles avancent : le jour recule.
Elles vont dans le crépuscule,
D'un mouvement glissant et lent.
Elles s'assemblent, elles s'appellent,
Se cherchent sans bruit,
Et toutes ensemble,
De leurs petites ailes,
Font la grande nuit.

Mais l'Aube dans l'eau
S'éveille et prend son grand flambeau.
Puis elle monte,
En rêve monte, et peu à peu,
Sur les ondes elle élève
Sa tête blonde,
Et ses yeux bleus.

Aussitôt, en fuite furtive,
Les ombres s'esquivent,
On ne sait où.
Est-ce dans l'eau ? Est-ce sous terre ?
Dans une fleur ? Dans une pierre ?
Est-ce dans nous ?
On ne sait pas. Leurs ailes closes
Enfin reposent.
Et c'est matin.

MAURICE MAETERLINCK, 1862-1949

CHANSON

J'ai cherché trente ans, mes sœurs,
  Où s'est-il caché ?
J'ai marché trente ans, mes sœurs,
  Sans m'en rapprocher...

J'ai marché trente ans, mes sœurs,
  Et mes pieds sont las,
Il était partout, mes sœurs,
  Et n'existe pas...

L'heure est triste enfin, mes sœurs,
  Otez vos sandales,
Le soir meurt aussi, mes sœurs,
  Et mon âme a mal...

Vous avez seize ans, mes sœurs,
  Allez loin d'ici,
Prenez mon bourdon, mes sœurs,
  Et cherchez aussi...

HENRI DE RÉGNIER, 1864-1936

SONNET POUR BILITIS

Mes Sœurs, notre jeunesse a mûri lentement
Sa grappe savoureuse à nos treilles rivales
Et nos jours que le Temps presse de ses sandales
Ont coulé comme un vin dont l'ivresse nous ment.

L'âge est venu sournois, furtif, fourbe et gourmand,
Mordre et flétrir, hélas ! nos gorges inégales ;
Notre vendange est faite et j'entends sur les dalles
Marcher le vigneron dans le cellier dormant.

Vous, ô mes Sœurs, je vois vos mémoires perdues
Vieillir poudreusement comme les outres bues,
Et moi, que visita la Muse aux ailes d'or,

Je resterai pareille à l'amphore embaumée
Où, captif aux parois qu'elle respire encor,
Vibre et rôde le vol d'une abeille enfermée.

ODELETTE

Si j'ai parlé
De mon amour, c'est à l'eau lente
Qui m'écoute quand je me penche
Sur elle ; si j'ai parlé
De mon amour, c'est au vent
Qui rit et chuchote entre les branches ;
Si j'ai parlé de mon amour, c'est à l'oiseau
Qui passe et chante
Avec le vent ;
Si j'ai parlé
C'est à l'écho.

Si j'ai aimé de grand amour,
Triste ou joyeux,
Ce sont tes yeux ;

Si j'ai aimé de grand amour,
Ce fut ta bouche grave et douce,
Ce fut ta bouche ;
Si j'ai aimé de grand amour,
Ce furent ta chair tiède et tes mains fraîches,
Et c'est ton ombre que je cherche.

J'ai vu fleurir ce soir

J'ai vu fleurir ce soir des roses à ta main ;
Ta main pourtant est vide et semble inanimée ;
Je t'écoute comme marcher sur le chemin ;
Et tu es là pourtant et la porte est fermée.

J'entends ta voix, mon frère, et tu ne parles pas ;
L'horloge sonne une heure étrange que j'entends
Venir et vibrer jusques à moi de là-bas...
L'heure qui sonne est une heure d'un autre temps.

Elle n'a pas sonné, ici, dans la tristesse,
Il me semble l'entendre ailleurs et dans ta joie,
Et plus l'obscurité de la chambre est épaisse,
Mieux il me semble qu'en la clarté je te voie.

L'ombre scelle d'un doigt les lèvres du silence ;
Je vois fleurir des fleurs de roses à ta main,
Et par delà ta vie autre et comme d'avance
De grands soleils mourir derrière ton Destin.

Il est un port

Il est un port
Avec des eaux d'huiles, de moires et d'or
Et des quais de marbre le long des bassins calmes,
Si calmes
Qu'on voit sur le fond qui s'ensable
Passer des poissons d'ombre et d'or
Parmi les algues,

Et la proue à jamais y mire dans l'eau stable
La Tête qui l'orne et s'endort
Au bruit du vent qui pousse sur les dalles
Du quai de marbre
Des poussières de sable d'or.

Il est un port.
Le silence y somnole entre des quais de songe,
Le passé en algues s'allonge
Aux oscillations lentes des poissons d'or ;
Le souvenir s'ensable d'oubli et l'ombre
Du soir est tout tiède du jour mort.
Qu'il soit un port
Où l'orgueil à la proue y dorme en l'eau qui dort !

FRANCIS VIELÉ-GRIFFIN, 1864–1937

MATINÉE D'HIVER

Ouvre plus grande la fenêtre ;
L'air est si calme, pur et frais,
Que les ormeaux et que les hêtres
Sont tout vêtus et tout drapés,
De branche en branche, de neige blanche
Et que la haie et la forêt
Emmêlent des dentelles frêles,
Et le grand chêne ouvre des ailes
De cygne blanc contre le ciel...

Sous le voile vierge de l'an neuf,
Le labour s'unit à la friche
Et la colline se mêle au fleuve,
L'arpent du pauvre au champ du riche ;
Un même manteau de silence
Vêt, de ses longs plis blancs et bleus,
La grand'route et le clos de Dieu.

— Soudain, le carillon s'élance
Et glisse sur la plaine, joyeux,
Comme un patineur matineux
Tournoie et vire et recommence,
Rose d'aurore et de son jeu ;

Et l'hymne rose de tes joues,
Fleuries au seul baiser de l'air,
Chante en la voix des cloches claires ;
La neige rayonne autour de nous
Et t'encercle d'une lumière
Si froide que tes cheveux blonds
Brûlent — comme un or scintille et fond
Au creuset crayeux de l'orfèvre —
Et que nos rires autour de nous
Montent, comme un encens, de nos lèvres.

Car je t'ai chaussée, à genoux,
D'ailes légères comme une aile d'aronde,
Et tu vas effleurant la vierge glace bleue
Comme une aronde effleure l'onde,
Avant la pluie, à la Dame-d'Août,
Quand l'ombre même a soif et l'air lourd est de feu ;

Et je cherche l'été au fond de tes yeux bleus.

IN MEMORIAM STÉPHANE MALLARMÉ

THRÈNE

Si l'on te disait : Maître !
Le jour se lève ;
Voici une aube encore, la même, pâle ;
Maître, j'ai ouvert la fenêtre,
L'aurore s'en vient encor du seuil oriental,
Un jour va naître !
— Je croirais t'entendre dire : Je rêve.

Si l'on te disait : Maître, nous sommes là,
Vivants et forts,
Comme ce soir d'hier, devant ta porte ;
Nous sommes venus en riant, nous sommes là,
Guettant le sourire et l'étreinte forte,
— On nous répondrait : Le Maître est mort.

Des fleurs de ma terrasse,
Des fleurs comme au feuillet d'un livre,
Des fleurs, pourquoi ?
Voici un peu de nous, la chanson basse
Qui tourne et tombe,
— Comme ces feuilles-ci tombent et tournoient —
Voici la honte et la colère de vivre
Et de parler des mots — contre ta tombe.

LA LÉGENDE AILÉE
DE
BELLÉROPHON HIPPALIDE

CHANT III

Exalté par le désir de la gloire, le héros, resté seul, évoque, sous la nuit étoilée, le cheval Pégase qui l'emporte vers les ravins du Taurus ; il surprend et tue la Chimère et, tout frémissant de sa victoire, il regagne avant l'aube le péristyle du palais.

La salle s'agrandit du tumulte apaisé ;
La héros, immobile,
Reste seul ;
Une torche se meurt dans sa cendre affaissée
Parmi les coupes vides et les roses tassées ;
Il s'avance, à son tour, vers le péristyle,
S'arrête sur le seuil.

Cette marche de marbre éblouie
Du reflet de la lune, qui l'inonde, allège,
Jusqu'en l'ombre des frises,
La nuit des architraves,
Vêt de lueurs de rêve
Tout un léger cortège
De dieux évertués et de déesses graves.

La ville,
Dès longtemps endormie,
Indolemment au long du golfe s'étire ;
Les acclamations, les pas, les derniers rires
S'éteignent ;
Le port,
Où brille et saigne
Un feu de veille,
Berce (au lent roulis de cent barques)
De lourds sommeils.

Venue des îles,
Tremblante aux doigts des palmes,
Muette,
Il monte de la mer une haleine rythmée

Qui s'apaise et renaît lente, tiède, embaumee :
La nuit est comme un rêve de poète...
Et, le front appuyé à la fraîcheur du marbre,
Impérieux et calme,
Bellérophon s'apprête.

Soudain !
Un grand souffle l'entoure :
En un froissement de plumes,
Le heurt de sabots trop légers
Aux marches qu'elle effleure
Projette l'ombre ailée...
En un bond, il étreint en ses cuisses
Les flancs nerveux de l'Hippornide
— Délices —
Et jaillit vers la nuit
Ténébreuse et splendide !
Né de l'air immobile
Et de l'essor divin qui l'emporte,
L'ouragan l'enveloppe :
Il étouffe, il a froid, il est ivre...

Sous lui,
La ville claire aux ombres accusées
S'éloigne, fuit :
La mer
Luit et s'efface ;
Sur la plaine grise,
Tout là-bas, sous ses pieds,
Les lourds bois noirs épars se tassent ;
La vitesse le grise ;
Mais l'étreinte du vent sur ses tempes
Boucle un casque d'acier.

Au-devant de son vol,
En un geste d'appel,
Le Taurus dresse au ciel
Ses sommets éblouis
Où la neige étincelle
Contre l'immense nuit.

Déjà, triomphant, il domine
Des gouffres
Entr'ouverts dans leurs flancs :
Plaies d'un monstre qui souffre...

Le vol s'est ralenti et s'abaisse, prudent ;
Il plane, maintenant,
Sur un ravin étroit...

Contre un roc en saillie, il la voit !
— Outrage hideux de l'Ombre aux astres humiliés —
Qu'éclaire en plein la lune :
Elle dort, repliée,
Provocatrice, immonde !

D'un serrement de genoux,
L'épée haute,
Et penché sur le cou
De la bête céleste,
Le jeune héros plonge et, leste,
Frappe !
Et s'élève
— Est-ce un songe ? est-ce un rêve ?—
Sur le souffle torride qu'exhale
La gueule d'agonie :
Il tend aux constellations son glaive
Et leur dédie
Sa victoire, d'un rire
Où le Cheval ailé mêle sa joie hennie !

L'aube pâlit, déjà, sur le seuil de l'aurore :
Tout là-bas, dans l'abîme un moment,
— Meule de paille que la foudre allume —
La Chimère, qu'un feu intérieur consume,
Flambe,
Eclaire l'ombre comme un météore
Et tombe en cendres...

Cependant, son élan l'a porté jusqu'aux cimes ;
Il vire et glisse, maintenant, sur l'air
— Avec délice —

Vers la ville qu'il devine,
Tache blanche, là-bas, vers la mer.

Il exulte de la voix et du geste !
Et, penché sur l'encolure d'or,
Il baise le poil clair de la Bête céleste ;
Et, tantôt, d'un bond preste,
Il est debout, encore,
Au péristyle...
L'épée fumante au poing,
Le bras vermeil,
Essoufflé et pareil
A quelque jeune dieu fêtant l'âge viril
De sa divinité...

Il se retourne et suit,
Vers la plaine infinie
Où paissent les troupeaux stellaires aux toisons d'or,
Le vol silencieux du beau Cheval sans mors.

FRANCIS JAMMES, 1868–1938

J'aime dans les temps

J'aime dans les temps Clara d'Ellébeuse,
l'écolière des anciens pensionnats,
qui allait, les soirs chauds, sous les tilleuls
lire les *magazines* d'autrefois.

Je n'aime qu'elle, et je sens sur mon cœur
la lumière bleue de sa gorge blanche.
Où est-elle ? où était donc ce bonheur ?
Dans sa chambre claire il entrait des branches.

Elle n'est peut-être pas encore morte
— ou peut-être que nous l'étions tous deux.
La grande cour avait des feuilles mortes
dans le vent froid des fins d'Eté très vieux.

Te souviens-tu de ces plumes de paon,
dans un grand vase, auprès de coquillages ?...
on apprenait qu'on avait fait naufrage,
on appelait Terre-Neuve : *le Banc.*

Viens, viens, ma chère Clara d'Ellébeuse ;
aimons-nous encore, si tu existes.
Le vieux jardin a de vieilles tulipes.
Viens toute nue, ô Clara d'Ellébeuse.

Il va neiger

Il va neiger dans quelques jours. Je me souviens
de l'an dernier. Je me souviens de mes tristesses
au coin du feu. Si l'on m'avait demandé : qu'est-ce ?
J'aurais dit : laissez-moi tranquille. Ce n'est rien.

J'ai bien réfléchi, l'année avant, dans ma chambre,
pendant que la neige lourde tombait dehors.
J'ai réfléchi pour rien. A présent comme alors
je fume une pipe en bois avec un bout d'ambre.

Ma vieille commode en chêne sent toujours bon.
Mais moi j'étais bête parce que tant de choses
ne pouvaient pas changer et que c'est une pose
de vouloir chasser les choses que nous savons.

Pourquoi donc pensons-nous et parlons-nous ? C'est drôle ;
nos larmes et nos baisers, eux, ne parlent pas,
et cependant nous les comprenons, et les pas
d'un ami sont plus doux que de douces paroles,

On a baptisé les étoiles sans penser
qu'elles n'avaient pas besoin de nom, et les nombres,
qui prouvent que les belles comètes dans l'ombre
passeront, ne les forceront pas à passer.

Et maintenant même, où sont mes vieilles tristesses
de l'an dernier ? A peine si je m'en souviens.
Je dirais : Laissez-moi tranquille, ce n'est rien,
si dans ma chambre on venait me demander : qu'est-ce ?

PRIÈRE POUR ALLER AU PARADIS AVEC LES ÂNES

Lorsqu'il faudra aller vers vous, ô mon Dieu, faites
que ce soit par un jour où la campagne en fête
poudroiera. Je désire, ainsi que je fis ici-bas,
choisir un chemin pour aller, comme il me plaira,
au Paradis, où sont en plein jour les étoiles.
Je prendrai mon bâton et sur la grande route
j'irai, et je dirai aux ânes, mes amis :
Je suis Francis Jammes et je vais au Paradis,
car il n'y a pas d'enfer au pays du Bon-Dieu.
Je leur dirai : Venez, doux amis du ciel bleu,
pauvres bêtes chéries qui, d'un brusque mouvement d'oreilles,
chassez les mouches plates, les coups et les abeilles...

Que je Vous apparaisse au milieu de ces bêtes
que j'aime tant parce qu'elles baissent la tête
doucement, et s'arrêtent en joignant leurs petits pieds
d'une façon bien douce et qui vous fait pitié.
J'arriverai suivi de leurs milliers d'oreilles,
suivi de ceux qui portèrent au flanc des corbeilles,
de ceux traînant des voitures de saltimbanques
ou des voitures de plumeaux et de fer-blanc,
de ceux qui ont au dos des bidons bossués,
des ânesses pleines comme des outres, aux pas cassés,
de ceux à qui l'on met de petits pantalons
à cause des plaies bleues et suintantes que font
les mouches entêtées qui s'y groupent en ronds.
Mon Dieu, faites qu'avec ces ânes je Vous vienne.
Faites que, dans la paix, des anges nous conduisent
vers des ruisseaux touffus où tremblent des cerises
lisses comme la chair qui rit des jeunes filles,
et faites que, penché dans ce séjour des âmes,
sur vos divines eaux, je sois pareil aux ânes
qui mireront leur humble et douce pauvreté
à la limpidité de l'amour éternel.

PAUL CLAUDEL, 1868–

O mon âme ! le poème n'est point fait de ces lettres que je
plante comme des clous, mais du blanc qui reste sur le papier.

O mon âme, il ne faut concerter aucun plan ! ô mon âme
sauvage, il faut nous tenir libres et prêts,

Comme les immenses bandes fragiles d'hirondelles quand
sans voix retentit l'appel automnal !

O mon âme impatiente, pareille à l'aigle sans art ! comment
ferions-nous pour ajuster aucun vers ? à l'aigle qui ne sait pas
faire son nid même ?

Que mon vers ne soit rien d'esclave ! mais tel que l'aigle
marin qui s'est jeté sur un grand poisson,

Et l'on ne voit rien qu'un éclatant tourbillon d'ailes et
l'éclaboussement de l'écume !

Mais vous ne m'abandonnerez point, ô Muses modératrices.

(from *Les Muses*, *Les Cinq Grandes Odes*)

Salut donc, ô monde nouveau à mes yeux, ô monde maintenant total !

O credo entier des choses visibles et invisibles, je vous
accepte avec un cœur catholique !

Où que je tourne la tête

J'envisage l'immense octave de la Création !

Le monde s'ouvre et, si large qu'en soit l'empan, mon
regard le traverse d'un bout à l'autre.

J'ai pesé le soleil ainsi qu'un gros mouton que deux hommes
forts suspendent à une perche entre leurs épaules.

J'ai recensé l'armée des Cieux et j'en ai dressé état,

Depuis les grandes Figures qui se penchent sur le vieillard
Océan

Jusqu'au feu le plus rare englouti dans le plus profond
abîme,

Ainsi que le Pacifique bleu-sombre où le baleinier épie
l'évent d'un souffleur comme un duvet blanc.

Vous êtes pris et d'un bout du monde jusqu'à l'autre autour
de Vous

J'ai tendu l'immense rets de ma connaissance.

Comme la phrase qui prend aux cuivres
Gagne les bois et progressivement envahit les profondeurs
de l'orchestre,
Et comme les éruptions du soleil
Se répercutent sur la terre en crises d'eau et en raz-de-
marée,
Ainsi du plus grand Ange qui vous voit jusqu'au caillou de
la route et d'un bout de votre création jusqu'à l'autre,
Il ne cesse point continuité, non plus que de l'âme au corps ;
Le mouvement ineffable des Séraphins se propage aux Neuf
ordres des Esprits,
Et voici le vent qui se lève à son tour sur la terre, le
Semeur, le Moissonneur !
Ainsi l'eau continue l'esprit, et le supporte, et l'alimente,
Et entre
Toutes vos créatures jusqu'à vous il y a comme un lien
liquide.

(from *L'Esprit et l'Eau, Les Cinq Grandes Odes*)

Ah, je suis ivre ! ah, je suis livré au dieu ! j'entends une voix
en moi et la mesure qui s'accélère, le mouvement de la joie,
L'ébranlement de la cohorte Olympique, la marche divine-
ment tempérée !
Que m'importent tous les hommes à présent ! Ce n'est pas
pour eux que je suis fait, mais pour le
Transport de cette mesure sacrée !
O le cri de la trompette bouchée ! ô le coup sourd sur la
tonne orgiaque !
Que m'importe aucun d'eux ? Ce rythme seul ! Qu'ils me
suivent ou non ? Que m'importe qu'ils m'entendent ou pas ?
Voici le dépliement de la grande Aile poétique !
Que me parlez-vous de la musique ? laissez-moi seulement
mettre mes sandales d'or !
Je n'ai pas besoin de tout cet attirail qu'il lui faut. Je ne
demande pas que vous vous bouchiez les yeux.
Les mots que j'emploie,
Ce sont les mots de tous les jours, et ce ne sont point les
mêmes !
Vous ne trouverez point de rimes dans mes vers ni aucun

sortilège.   Ce sont vos phrases mêmes.   Pas aucune de vos phrases que je ne sache reprendre !

Ces fleurs sont vos fleurs et vous dites que vous ne les reconnaissez pas.

Et ces pieds sont vos pieds, mais voici que je marche sur la mer et que je foule les eaux de la mer en triomphe !

(from *La Muse qui est la Grâce, Les Cinq Grandes Odes*)

PAUL VALÉRY, 1871–1945

LE CIMETIÈRE MARIN

Ce toit tranquille, où marchent des colombes,
Entre les pins palpite, entre les tombes ;
Midi le juste y compose de feux
La mer, la mer, toujours recommencée !
O récompense après une pensée
Qu'un long regard sur le calme des dieux !

Quel pur travail de fins éclairs consume
Maint diamant d'imperceptible écume,
Et quelle paix semble se concevoir !
Quand sur l'abîme un soleil se repose,
Ouvrages purs d'une éternelle cause,
Le Temps scintille et le Songe est savoir.

Stable trésor, temple simple à Minerve,
Masse de calme, et visible réserve,
Eau sourcilleuse, Œil qui gardes en toi
Tant de sommeil sous un voile de flamme,
O mon silence !... Édifice dans l'âme,
Mais comble d'or aux mille tuiles, Toit !

Temple du Temps, qu'un seul soupir résume,
A ce point pur je monte et m'accoutume,
Tout entouré de mon regard marin ;
Et comme aux dieux mon offrande suprême,
La scintillation sereine sème
Sur l'altitude un dédain souverain.

Comme le fruit se fond en jouissance,
Comme en délice il change son absence
Dans une bouche où sa forme se meurt,
Je hume ici ma future fumée,
Et le ciel chante à l'âme consumée
Le changement des rives en rumeur.

Beau ciel, vrai ciel, regarde-moi qui change !
Après tant d'orgueil, après tant d'étrange
Oisiveté, mais pleine de pouvoir,
Je m'abandonne à ce brillant espace,
Sur les maisons des morts mon ombre passe
Qui m'apprivoise à son frêle mouvoir.

L'âme exposée aux torches du solstice,
Je te soutiens, admirable justice
De la lumière aux armes sans pitié !
Je te rends pure à ta place première :
Regarde-toi !... Mais rendre la lumière
Suppose d'ombre une morne moitié.

O pour moi seul, à moi seul, en moi-même,
Auprès d'un cœur, aux sources du poème,
Entre le vide et l'événement pur,
J'attends l'écho de ma grandeur interne,
Amère, sombre et sonore citerne,
Sonnant dans l'âme un creux toujours futur !

Sais-tu, fausse captive des feuillages,
Golfe mangeur de ces maigres grillages,
Sur mes yeux clos, secrets éblouissants,
Quel corps me traîne à sa fin paresseuse,
Quel front l'attire à cette terre osseuse ?
Une étincelle y pense à mes absents.

Fermé, sacré, plein d'un feu sans matière,
Fragment terrestre offert à la lumière,
Ce lieu me plaît, dominé de flambeaux,
Composé d'or, de pierre et d'arbres sombres,
Où tant de marbre est tremblant sur tant d'ombres ;
La mer fidèle y dort sur mes tombeaux !

Chienne splendide, écarte l'idolâtre !
Quand solitaire au sourire de pâtre,
Je pais longtemps, moutons mystérieux,
Le blanc troupeau de mes tranquilles tombes,
Éloignes-en les prudentes colombes,
Les songes vains, les anges curieux !

Ici venu, l'avenir est paresse.
L'insecte net gratte la sécheresse ;
Tout est brûlé, défait, reçu dans l'air
A je ne sais quelle sévère essence...
La vie est vaste, étant ivre d'absence,
Et l'amertume est douce, et l'esprit clair.

Les morts cachés sont bien dans cette terre
Qui les réchauffe et sèche leur mystère.
Midi là-haut, Midi sans mouvement
En soi se pense et convient à soi-même...
Tête complète et parfait diadème,
Je suis en toi le secret changement.

Tu n'as que moi pour contenir tes craintes !
Mes repentirs, mes doutes, mes contraintes
Sont le défaut de ton grand diamant...
Mais dans leur nuit toute lourde de marbres,
Un peuple vague aux racines des arbres
A pris déjà ton parti lentement.

Ils ont fondu dans une absence épaisse,
L'argile rouge a bu la blanche espèce,
Le don de vivre a passé dans les fleurs !
Où sont des morts les phrases familières,
L'art personnel, les âmes singulières ?
La larve file où se formaient des pleurs.

Les cris aigus des filles chatouillées,
Les yeux, les dents, les paupières mouillées,
Le sein charmant qui joue avec le feu,
Le sang qui brille aux lèvres qui se rendent,
Les derniers dons, les doigts qui les défendent,
Tout va sous terre et rentre dans le jeu !

Et vous, grande âme, espérez-vous un songe
Qui n'aura plus ces couleurs de mensonge
Qu'aux yeux de chair l'onde et l'or font ici ?
Chanterez-vous quand serez vaporeuse ?
Allez ! Tout fuit ! Ma présence est poreuse,
La sainte impatience meurt aussi !

Maigre immortalité noire et dorée,
Consolatrice affreusement laurée,
Qui de la mort fais un sein maternel,
Le beau mensonge et la pieuse ruse !
Qui ne connaît, et qui ne les refuse,
Ce crâne vide et ce rire éternel !

Pères profonds, têtes inhabitées,
Qui sous le poids de tant de pelletées,
Êtes la terre et confondez nos pas,
Le vrai rongeur, le ver irréfutable
N'est point pour vous qui dormez sous la table,
Il vit de vie, il ne me quitte pas !

Amour, peut-être, ou de moi-même haine ?
Sa dent secrète est de moi si prochaine
Que tous les noms lui peuvent convenir !
Qu'importe ! Il voit, il veut, il songe, il touche !
Ma chair lui plaît, et jusque sur ma couche,
A ce vivant je vis d'appartenir !

Zénon ! Cruel Zénon ! Zénon d'Élée !
M'as-tu percé de cette flèche ailée
Qui vibre, vole, et qui ne vole pas !
Le son m'enfante et la flèche me tue !
Ah ! le soleil... Quelle ombre de tortue
Pour l'âme, Achille immobile à grands pas !

Non, non !... Debout ! Dans l'ère successive !
Brisez, mon corps, cette forme pensive !
Buvez, mon sein, la naissance du vent !
Une fraîcheur, de la mer exhalée,
Me rend mon âme... O puissance salée !
Courons à l'onde en rejaillir vivant !

Oui ! Grande mer de délires douée,
Peau de panthère et chlamyde trouée
De mille et mille idoles du soleil,
Hydre absolue, ivre de ta chair bleue,
Qui te remords l'étincelante queue
Dans un tumulte au silence pareil,

Le vent se lève !... Il faut tenter de vivre !
L'air immense ouvre et referme mon livre,
La vague en poudre ose jaillir des rocs !
Envolez-vous, pages tout éblouies !
Rompez, vagues ! Rompez d'eaux réjouies
Ce toit tranquille où picoraient des focs !

GUILLAUME APOLLINAIRE, 1880–1918

LA JOLIE ROUSSE

Me voici devant tous un homme plein de sens
Connaissant la vie et de la mort ce qu'un vivant peut
    connaître
Ayant éprouvé les douleurs et les joies de l'amour
Ayant su quelquefois imposer ses idées
Connaissant plusieurs langages
Ayant pas mal voyagé
Ayant vu la guerre dans d'Artillerie et l'Infanterie
Blessé à la tête trépané sous le chloroforme
Ayant perdu ses meilleurs amis dans l'effroyable lutte
Je sais d'ancien et de nouveau autant qu'un homme seul
    pourrait des deux savoir
Et sans m'inquiéter aujourd'hui de cette guerre
Entre nous et pour nous mes amis
Je juge cette longue querelle de la tradition et de l'invention
    De l'Ordre de l'Aventure

Vous dont la bouche est faite à l'image de celle de Dieu
Bouche qui est l'ordre même
Soyez indulgents quand vous nous comparez
A ceux qui furent la perfection de l'ordre
Nous qui quêtons partout l'aventure

Nous ne sommes pas vos ennemis
Nous voulons nous donner de vastes et d'étranges domaines
Où le mystère en fleurs s'offre à qui veut le cueillir
Il y a là des feux nouveaux des couleurs jamais vues
Mille phantasmes impondérables
Auxquels il faut donner de la réalité
Nous voulons explorer la bonté contrée énorme où tout se tait
Il y a aussi le temps qu'on peut chasser ou faire revenir
Pitié pour nous qui combattons toujours aux frontières
De l'illimité et de l'avenir
Pitié pour nos erreurs pitié pour nos péchés

Voici que vient l'été la saison violente
Et ma jeunesse est morte ainsi que le printemps
O Soleil c'est le temps de la Raison ardente
      Et j'attends
Pour la suivre toujours la forme noble et douce
Qu'elle prend afin que je l'aime seulement
Elle vient et m'attire ainsi qu'un fer l'aimant
      Elle a l'aspect charmant
      D'une adorable rousse

Ses cheveux sont d'or on dirait
Un bel éclair qui durerait
Ou ces flammes qui se pavanent
Dans les roses-thé qui se fanent

Mais riez riez de moi
Hommes de partout surtout gens d'ici
Car il y tant de choses que je n'ose vous dire
Tant de choses que vous ne me laisseriez pas dire
Ayez pitié de moi

LES SAPINS

Les sapins en bonnets pointus
De longues robes revêtus
    Comme des astrologues
Saluent leurs frères abattus
Les bateaux qui sur le Rhin voguent

Dans les sept arts endoctrinés
Par les vieux sapins leurs aînés
    Qui sont de grands poètes
Ils se savent prédestinés
A briller plus que des planètes

A briller doucement changés
En étoiles et enneigés
    Aux Noëls bienheureuses
Fêtes des sapins ensongés
Aux longues branches langoureuses

Les sapins beaux musiciens
Chantent des noëls anciens
  Au vent des soirs d'automne
Ou bien graves magiciens
Incantent le ciel quand il tonne

Des rangées de blancs chérubins
Remplacent l'hiver les sapins
  Et balancent leurs ailes
L'été ce sont de grands rabbins
Ou bien de vieilles demoiselles

Sapins médecins divagants
Ils vont offrant leurs bons onguents
  Quand la montagne accouche
De temps en temps sous l'ouragan
Un vieux sapin geint et se couche

INDEX OF FIRST LINES

INDEX OF FIRST LINES

INDEX OF FIRST LINES

Printed in Great Britain by
Butler & Tanner Ltd.,
Frome and London